PEDROSILLO EL RALO
UN HUMILDE PUEBLO EN EL CORAZÓN DE LA ARMUÑA

JORGE CARRO MAROTO

PEDROSILLO EL RALO
UN HUMILDE PUEBLO EN EL CORAZÓN DE LA ARMUÑA

DIPUTACIÓN DE SALAMANCA
2019

Ediciones de la Diputación de Salamanca
Serie Ayuntamientos, n.º 58

© Diputación de Salamanca
1.ª edición: 2019

© Jorge Carro Maroto

DIPUTACIÓN DE SALAMANCA
e-mail: ediciones@lasalina.es
http://www.lasalina.es/cultura

ISBN: 978-84-7797-599-1
Depósito legal: S. 318-2019
Impreso en España

Preimpresión: www.trafotex.com

Imprime: Nueva Graficesa. Salamanca

*A mis padres, a mis pedrosillanos
y, en definitiva, a mi pueblo adoptivo.*

Agradecimientos

Este libro no hubiese sido posible sin la inestimable ayuda de ciertas personas. En primer lugar, quiero agradecer al Ayuntamiento de Pedrosillo que haya colaborado en este proyecto, especialmente a Miguel Ángel Esteban Pérez, teniente de alcalde, por toda su ayuda, apoyo e interés. Por otro lado, gracias a una serie de personas del pueblo ha sido posible dotar este libro de vivencias personales y entrañables anécdotas: Francisca Cañedo Santos, Cipriano Esteban Porteros y Julián Tardáguila Pérez. Mencionar también a Germán Ruiz Pérez por los interesantes objetos que me dejó fotografiar.

Se me hace imprescindible incluir aquí a una persona muy especial. Ramón Martín Gallego fue mi profesor de religión en el instituto, tanto en la ESO como en el Bachillerato. Gracias a él y a sus clases, una persona de ciencias como yo ha llegado a interesarse también por otros campos como la historia, la religión o el arte, de manera que realmente he disfrutado escribiendo este libro. También me ayudó a conocer los documentos que guarda la diócesis sobre Pedrosillo, cuando él era el máximo encargado de este extenso archivo. Quisiera reconocer la excelente labor que realizan las tres mujeres que trabajan en dicho archivo y agradecer que me facilitasen día tras día los libros de la parroquia de Pedrosillo que tanto han aportado a esta obra. Gracias especialmente a una de ellas, M.ª Reyes Yolanda Portal Monge, por los excelentes artículos que ha realizado sobre los retablos de la iglesia de San Andrés.

Todas las vivencias, experiencias y anécdotas que he vivido en este pueblo son las que me han motivado a aprender más sobre él y a realizar este monográfico. Por ello, quiero mencionar a mis compañeros Alejandro, Elena, Francisco, Jesús, Moisés, Noelia y Pablo, por tantos momentos que hemos pasado juntos. En especial a Noelia Fernández María, por ayudarme a realizar las entrevistas y ser la primera persona en leer este trabajo y darme su opinión, cuando aún le faltaban algunas páginas para estar completo.

Gracias a todos los que me han apoyado durante este camino de indagaciones sobre la historia de Pedrosillo y gracias a ti, lector, por haber tomado la decisión de comenzar este apasionante viaje.

ÍNDICE

Dibujo del plano/callejero de Pedrosillo el Ralo en 2012.

Pedrosillo y sus alrededores en 1867

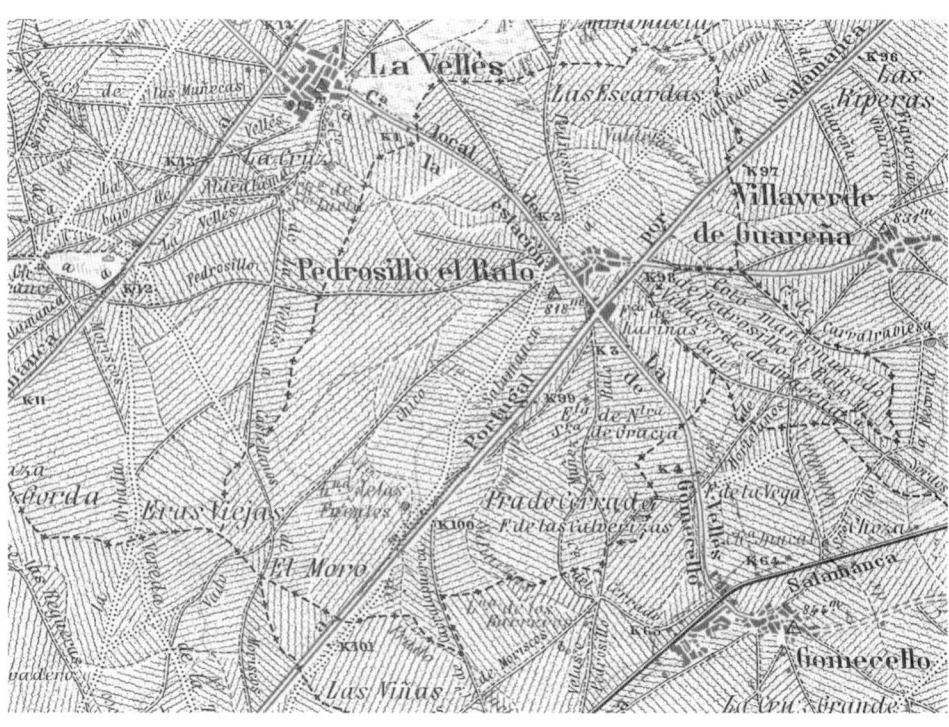

Pedrosillo y sus alrededores en 1949

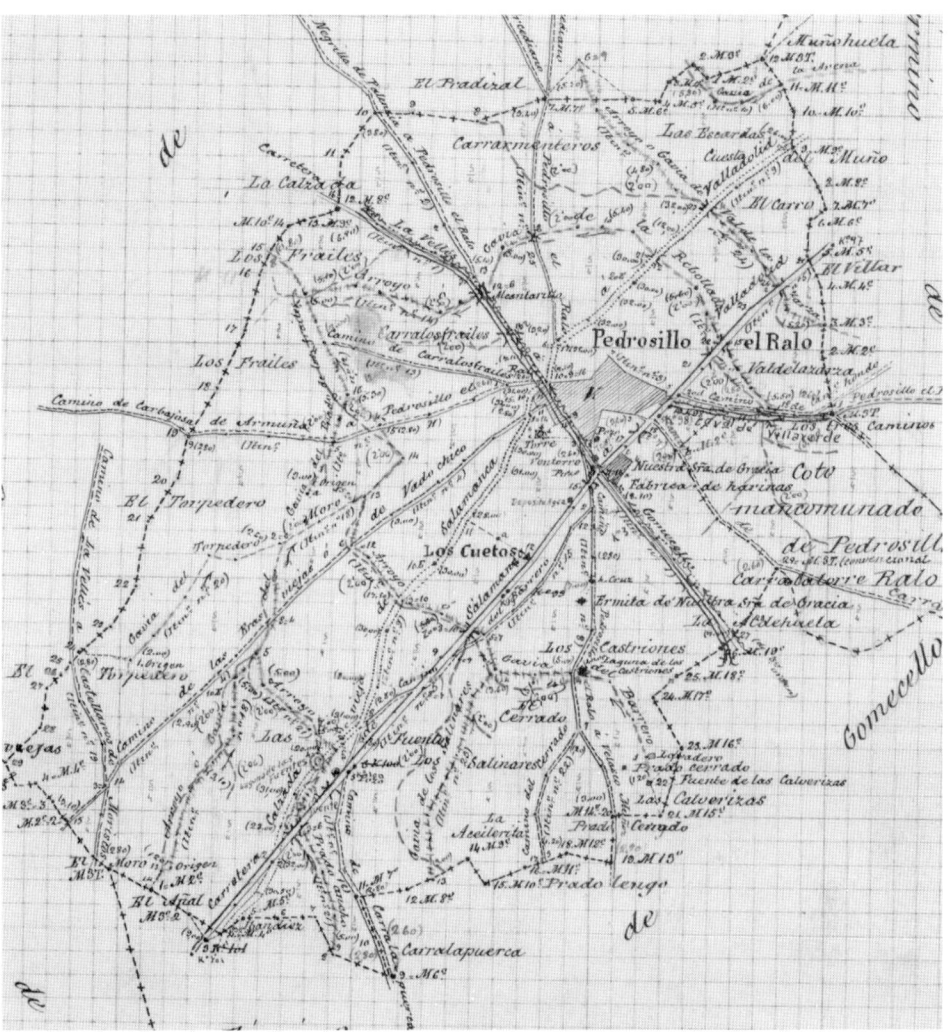

Término municipal de Pedrosillo en 1902

Prólogo

No quiero adquirir protagonismo en este libro, pues mi único mérito ha sido disfrutar de su lectura. Hace tiempo, cuando Jorge me encargó este prólogo, solo pude encogerme de hombros y decir que sí. En este libro se puede admirar el exquisito y cuidadoso trabajo de recoger y ordenar la cantidad de información que estaba ahí; sin embargo, nadie había tenido ni la valentía, ni el tesón para hacerlo y darle forma literaria.

Cuando inicias su lectura, te vienen a la cabeza recuerdos; unos, vividos por ser nacido y criado en la localidad, y otros, por habérselos oído a los vecinos y ancianos cuando, de niños, nos sentábamos a la solana para oír historias e historietas. Algunas eran reales y otras formaban parte del imaginario colectivo, pues los habitantes, estaban siempre alejados de los avances tecnológicos actuales que tanto entretienen a la sociedad de hoy en día.

Recuerdo cuando conocí a Jorge, muy pequeño; siempre destacó por su afán de conocer y trasmitir conocimiento. Eso hace que su obra y persona solo avalen lo que siempre sospeché de él: un gran fichaje para esta localidad, necesitada de personas que transmitan la historia de Pedrosillo el Ralo y su comarca, La Armuña.

El recorrido llevado a cabo realmente interesante. Contado desde tiempos inmemoriales hasta nuestros días, hace que apreciemos la esencia imprescindible de lo que somos, nuestro entorno, nuestro pueblo y nuestra historia, que será imborrable mientras haya escritos como este. Gracias, Jorge.

Miguel Ángel Esteban Pérez

Introducción

Principios de septiembre de 2011. Unos amigos del pueblo y yo volvemos en bicicleta de tomar un chocolate con churros en las fiestas de Villaverde de Guareña. Montar en bicicleta es una de nuestras actividades favoritas durante el verano. De hecho, lo hacemos muy a menudo, ya sea explorando caminos, desplazándonos a otros pueblos cercanos a Pedrosillo o simplemente para comprobar cuántos kilómetros podemos aguantar sin desfallecer bajo el sol abrasador del verano. Tanto nos gusta desplazarnos en bicicleta por esta comarca que, pocos minutos después de salir de Villaverde, uno de nosotros dice: «Parecemos *Callejeros Armuña*». Y era verdad, porque nos pasábamos el verano callejeando por los pueblos de alrededor con este sencillo medio de transporte. Ese comentario pudo haber quedado en un simple chascarrillo, pero pasó a convertirse en algo más. Durante cuatro años, algunos de los jóvenes del pueblo realizamos una serie de documentales caseros que llevaron por título aquella simpática expresión.

Descubrimos que estos pequeños y sencillos pueblos armuñeses tenían mucho que contarnos y mostrarnos. Casas con encanto, iglesias y ermitas con siglos de historia, atractivos parajes naturales, leyendas, gentes entrañables... Como reza el título de uno de los libros de Francisco García González, *La Armuña. Algo más que trigo y lentejas*. De hecho, este libro y las otras dos obras de este autor, que conforman lo que coloquialmente denominan algunos como la *Trilogía de La Armuña*, nos permitieron adquirir diversos conocimientos que enriquecieron de gran manera nuestras excursiones periodísticas. Este escritor vellesino hizo un extraordinario estudio sobre su pueblo natal y todos aquellos que forman esta comarca. No es de extrañar, por tanto, que una gran mayoría de los armuñeses haya leído en alguna ocasión al menos uno de estos tres libros. En sus páginas, especialmente en las del libro titulado *Los pueblos de La Armuña*, se puede encontrar mucha información sobre Pedrosillo: referencias a documentos antiguos, fechas importantes, hechos históricos relevantes o curiosas leyendas, entre otros. Recuerdo que, tras realizar estos vídeos que no tuvieron mayor fin que el de divertirnos y hacer pasar un buen rato a aquellos que los viesen, pensé en lo realmente interesante que eran las averiguaciones que habíamos realizado, en especial, sobre nuestro pueblo. Y en que este humilde lugar al que llegué por primera vez cuando apenas tenía tres años podría tener una historia realmente interesante. Así que me puse manos a la obra.

Las obras de Francisco García González fueron un buen comienzo, pues me permitieron trazar la estructura que después yo seguiría para organizar toda la información que fuera recopilando. Leyendo estos libros observé que se hablaba de textos que mencionaban a Pedrosillo y a otros pueblos y que fueron escritos hace 800 años. Me quedé verdaderamente impresionado de que se conservasen y fuesen consultables hoy en día. Al ver que podía acceder a muchos de ellos, pues se encuentran guardados en archivos accesibles (con ciertas medidas de control, eso sí) al público en general, decidí examinarlos para ver cuántas menciones a Pedrosillo existían. Esta tarea investigadora se realizó a través de los archivos Catedralicio, Diocesano e Histórico Provincial de Salamanca (curiosamente localizados los tres en el casco antiguo de la ciudad en un radio de escasos 100 metros).

El Archivo Catedralicio es el que alberga los textos más antiguos sobre estos pueblos, pero, debido a mi escaso conocimiento sobre escritura manuscrita medieval, solo figuran en esta obra los textos que otros autores han transcrito a la tipografía actual. Sin duda, mi mayor sorpresa fue al entrar por primera vez en el Archivo Diocesano. Al preguntar inocentemente si había algún texto antiguo que hablase sobre Pedrosillo el Ralo, me enseñaron un índice ordenado alfabéticamente por pueblos en el que aparecía un total de 35 libros que habían sido escritos a mano por gente del pueblo. Estos forman lo que antiguamente era el archivo de la parroquia de Pedrosillo. Para la óptima conservación de estos textos, en los años 70 se retiraron todos los libros de registro de las parroquias de Salamanca y se llevaron al Palacio Episcopal para clasificarlos y preservarlos. Entre estos 35 libros se encuentran libros de bautismos, matrimonios, defunciones, cuentas de la iglesia, fundación de misas, tazmías (impuestos), cofradías, etc. Gran parte de ellos se remontan hasta finales del siglo XVII, por lo que la información recogida corresponde a varios siglos de la historia del pueblo. Algunos textos son más interesantes que otros, pero incluso los que pueden parecer más banales, guardan implícitamente datos muy valiosos para conocer la vida del pueblo y sus acontecimientos más reseñables.

En el Archivo Histórico Provincial podemos encontrar protocolos notariales que contienen información de carácter artístico. Algunas de las obras y reformas que se han hecho en edificios históricos del pueblo se muestran en estos escritos. Pero, sin duda, lo más interesante son las copias que se almacenan allí con las respuestas del Catastro de la Ensenada. Son páginas y páginas con datos de todos los pueblos de España en 1752 y esta obra refleja buena parte de lo que se dice ahí sobre Pedrosillo. Estos tres archivos mencionados han sido la principal fuente de conocimiento para elaborar los capítulos que comprenden la historia del pueblo desde el siglo XIII al XIX.

En cuanto al capítulo del siglo XX, fundamentalmente se ha nutrido de dos fuentes muy importantes: la prensa histórica y la tradición oral. Por un lado, el Ministerio de Educación, Cultura y Deportes pone a disposición del público una gran hemeroteca digital que contiene un número inmenso de periódicos y revistas que han sido publicados durante más de dos siglos. A pesar de ser Pedrosillo un pueblo sencillo y humilde, ha aparecido en numerosas ocasiones en periódicos regionales y nacionales. Algunos de ellos son El Adelanto, El Salmantino, El Lábaro, La Voz de Castilla, El Castellano, El Progreso… Un buen número de noticias son sucesos, de los cuales algunos se han traído a este libro con cierto criterio. Otros simplemente eran anuncios de ventas de tierras, inmuebles o reses. Pero durante esta minuciosa búsqueda han aparecido verdaderos tesoros (entrañables anécdotas, poesías, costumbres, relatos de eventos memorables del pueblo…) que han hecho mucho más interesante esta obra. Sin esa labor de digitalización de dichos ejemplares y sin que fuese posible una fácil búsqueda por palabras gracias al reconocimiento de caracteres todas esas narraciones no podrían haberse plasmado aquí.

Por otro lado, un monográfico como este no podría estar completo sin reflejar todo aquello que forma parte de la tradición oral de este pueblo. Algunos vecinos han colaborado con empeño para conseguir que aquello que no está en los libros finalmente sí lo esté. Estas personas vivieron en Pedrosillo antes del éxodo rural, lo que significa que sus vivencias corresponden a una época en la que la vida en los pueblos era más intensa, había mucha más gente trabajando en ellos (en la agricultura, la ganadería, pequeños comercios…) y el número de habitantes era considerablemente superior al de la actualidad. Nos hablan con entusiasmo de su juventud, de las fiestas, de divertidas anécdotas cotidianas. Pero también de épocas más duras, de dificultades, de trabajos realmente sacrificados. Estas dos dimensiones de la vida rural merecen ser contadas, para que las próximas generaciones de habitantes de este pueblo aprendan sobre su historia.

En esta obra se refleja en gran parte lo que es y ha sido Pedrosillo, pero aún hay mucho por descubrir. Quedan numerosos escritos acerca de nuestro pueblo por clasificar y otros tantos disponibles pero que, debido a la dificultad que supone la lectura de la caligrafía anterior al siglo XVII, no he podido transcribir. Qué maravilloso sería que alguien pudiese recoger este relevo y que en un futuro pueda haber no un libro sobre Pedrosillo, sino dos o más. Por otro lado, esta investigación ha sido compleja en numerosas ocasiones por el gran número de contradicciones halladas. Al consultar diversas fuentes, es frecuente que haya discrepancias entre ellas y ocurre tanto en los libros como en la tradición oral. En aquellos casos en los que no he sido capaz de averiguar cuál era la versión correcta, o bien he comentado ambas o, si no eran demasiado relevantes, las he omitido. La intención en cualquier caso ha sido poder ofrecer datos lo más fiables posible y evitar informaciones incorrectas, que en muchas ocasiones son muy abundantes.

Por último, un apunte acerca de la estructura de este libro. La cantidad de nombres, fechas, eventos históricos o cifras, entre otros, es ingente. Por ello, la estructura que se puede ver en el índice (división en tres partes con varios capítulos cada una) permite al lector la lectura o consulta de fragmentos concretos. Aunque en algunos capítulos se alude a otros, se recomienda también la lectura en un orden diferente, de manera que se puedan consultar primero los bloques temáticos de mayor interés para cada persona. Los capítulos de la primera parte abordan la historia del pueblo a lo largo de todos sus siglos de existencia. La segunda parte ofrece una visión descriptiva del pueblo, aunque en el caso de la iglesia y la ermita se dan pinceladas sobre su historia. En la tercera parte, se aborda la parte más humana o social, y las páginas se centran en la forma de vida actual y pasada en nuestro pueblo.

Espero que esta obra cumpla las expectativas de aquellos que se aventuren a sumergirse en sus páginas y, sobre todo, que disfruten tanto aprendiendo sobre la historia de Pedrosillo el Ralo como yo he disfrutado investigándola.

5 de marzo de 2019

PARTE 1
Historia y momentos
para el recuerdo

Los orígenes del pueblo

Comenzamos este interesante viaje a través de la historia de Pedrosillo el Ralo remontándonos a las épocas de nuestros antepasados. La tarea historiadora a la hora de buscar documentación acerca de estas tierras es realmente emocionante. Podría pensarse que, al ser la comarca de La Armuña una zona con baja relevancia histórica en cuanto a acontecimientos o importancia arquitectónica, el estudio de su pasado puede resultar carente de interés. Nada más lejos de la realidad, pues esta búsqueda se torna apasionante al implicar una mayor complejidad cuando tratamos de encontrar referencias sobre estas tranquilas tierras. Se vuelve imprescindible aunar la exhaustiva investigación de la documentación histórica con el trabajo de campo, pues uno mismo tiene que explorar el terreno e indagar en la cultura popular que nuestros sabios mayores guardan en su memoria.

Aunque Pedrosillo, al igual que el resto de los pueblos armuñeses actuales, nace en la Edad Media, podemos esbozar la figura de los antiguos moradores de estas tierras echando la vista atrás incluso hasta los años anteriores a nuestra era. No se conocen asentamientos ni poblados destacables de la época neolítica ni de la Edad de los Metales en esta zona de La Armuña. Mientras que en otras partes de la provincia de Salamanca encontramos restos arqueológicos de castros, verracos, dólmenes y otro tipo de yacimientos, la actual comarca de La Armuña no posee ningún tipo de vestigio de este tipo que dé cuenta de algún poblado importante en estas tierras durante ese periodo de la historia. Aun así, como veremos más adelante, sí se ha encontrado algún posible resto de la Edad del Cobre. Para tener cierta seguridad en nuestras afirmaciones, lo más atrás que podemos echar la vista es hasta unos pocos siglos antes de Cristo. Durante el I milenio a. C. se fueron conformando en la península dos culturas diferentes: los celtas y los iberos. El centro y norte peninsular estaban dominados por los pueblos celtas. Dos de esos pueblos, los vetones y los vacceos, se asentaron en la submeseta norte. La parte norte de la comarca del Campo de Salamanca hacía de frontera entre estos dos pueblos, por lo tanto, se podría decir que La Armuña es la zona más meridional de influencia vaccea. Este pueblo prerromano procedente de Centroeuropa se desplazó hacia nuestra península cuando los celtas ya se encontraban en declive. Encontramos una ligera contradicción en algunos textos, pues, al hablar de su origen, hay ciertos historiadores que los consideran como un pueblo celta, mientras que otros señalan su origen celta, pero los diferencian claramente. Hoy en día sabemos que los vacceos cultivaban las tierras donde ahora se asienta Pedrosillo y los pueblos de alrededor, como demuestran los estudios de diversos yacimientos arqueológicos. Esta es la característica más destacable de la organización socioeconómica del pueblo vacceo: una importante actividad agrícola de cultivo del cereal, principalmente trigo y cebada. Desde entonces hasta ahora, 24 siglos después, esta ha sido la principal actividad económica de Pedrosillo y los pueblos que lo rodean.

Por tanto, en base a lo anteriormente expuesto y observando los diferentes restos de las épocas paleolíticas, neolíticas y de la Edad de los Metales que se han encontrado en la provincia de Salamanca, podemos decir que, con anterioridad a los vacceos, no hubo poblamiento (o este fue de muy escasa relevancia) en las tierras correspondientes a lo que hoy es Pedrosillo y sus alrededores, por lo que los hombres y mujeres del pueblo vacceo podrían considerarse como los primeros armuñeses. Los yacimientos arqueológicos que hemos mencionado se encuentran en su mayor parte junto a los ríos de la provincia de Salamanca. Así, por ejemplo, un buen número de ellos se sitúan cerca de las orillas del río Tormes y el río Huebra. Debido a que la comarca de La Armuña no se ha caracterizado por la existencia de ríos o grandes arroyos, la ocupación de estas tierras previamente a la invasión romana fue muy baja en el caso de los vacceos (se estima que La Armuña pudo albergar unos pocos centenares de individuos, dado que no consta ningún núcleo importante en esta comarca) y prácticamente inexistente en épocas anteriores.

Es a mediados del siglo II a. C. cuando las campañas romanas llegan a esta zona. Nuevamente las tierras de La Armuña vuelven a tener un carácter fronterizo, puesto que se sitúa en la separación entre la provincia romana de Lusitania, en la parte suroeste, y la de Carthaginensis en la parte noreste. En cuanto al legado de la época romana, sabemos que existieron algunas villas señoriales repartidas por diferentes lugares de lo que es ahora La Armuña gracias al trabajo de Enrique Ariño *et al*. De esta forma, en la actualidad conocemos la existencia de algunas villas romanas en lugares cercanos a Pedrosillo como Mozodiel del Camino (Monterrubio de Armuña), Fuente Pedraza y Aldealama (La Vellés) y La Orbadilla (La Orbada), así como otros yacimientos romanos tardíos y visigodos en la zona de Negrilla de Palencia y Tardáguila. En Aldealama, una alquería al suroeste de La Vellés y a tan solo 7 kilómetros de Pedrosillo, se han encontrado restos de lo que podría ser la parte residencial de una villa. Junto a esta villa, en el yacimiento de Fuente Pedraza, estos autores relatan que fueron informados de que un tractor que labraba esa zona «se hundió en una habitación con columnas pequeñas de ladrillo» y que se hallaron fragmentos de mosaico y monedas. Además, en las fotografías aéreas pueden diferenciarse claramente los muros y las divisiones de esta villa. No es necesario realizar prospecciones sobre el terreno puesto que los cultivos crecen de forma diferente dependiendo de las características del subsuelo. Así, las tonalidades que adquieren las espigas consiguen «calcar» en la superficie el dibujo de los restos subterráneos de la villa. En Villoruela, pueblo de la comarca vecina de Las Villas (al sureste de La Armuña), también existió una villa residencial de gran lujo, en la cual se encontraron en la década de los 80 restos de termas, suelos de mosaico, pinturas murales y hasta pavimento de mármol. Incluso se piensa que lo que hoy conocemos como el pueblo de La Vellés, a escasos 2 kilómetros de Pedrosillo, pudo haberse construido sobre un antiguo asentamiento romano. Las construcciones que debió de haber al principio de esa época serían escasas y desagrupadas, y habrían sido los romanos los que comenzaron a crear los primeros poblados o unir aquellos pequeños y próximos. Estaríamos ante los primeros poblados armuñeses aunque, como veremos más adelante, la existencia de los actuales pueblos de La Armuña es debida principalmente al proceso de la repoblación durante la Edad Media. Otro gran legado que dejó el Imperio romano en las tierras armuñesas fue la Vía de la Plata, una gran calzada que unía Augusta Emerita (Mérida) con Asturica Augusta (Astorga). Son escasos los restos que quedan de ella, aunque el trazado original es muy parecido al actual, que pasa por Aldeaseca de La Armuña, Castellanos de Villiquera, Calzada de Valdunciel y continúa hacia Zamora atravesando el término municipal de Topas. Aun así, se cree que el impacto de la civilización romana en La Armuña fue bajo, pues los bosques ocuparían gran parte del territorio y todavía no se apreciaría la plena irrupción del cultivo del cereal, que actualmente caracteriza el paisaje armuñés, aunque los vacceos ya iniciasen este tipo de actividad económica años atrás.

En cuanto al periodo visigodo, sabemos que, junto a los yacimientos romanos de Monterrubio de Armuña, San Cristóbal de la Cuesta y La Vellés, también existieron asentamientos de este pueblo procedente de Escandinavia y la zona oriental de Alemania. A lo largo de los arroyos de la Encina, Fuente Pedraza y la Gavia de Valbellido, que procede del término municipal de

Gomecello, se encuentran los restos de estos yacimientos que datarían de mediados del siglo V a principios del VIII y estarían vinculados a las villas romanas, pues seguirían habitadas durante el periodo Romano bajoimperial. También nos cuentan que probablemente estos fueran de los primeros asentamientos en desaparecer, lo hicieron antes que aquellos encontrados junto a los ríos Francia, Alagón y Cuerpo de Hombre, al sur de la provincia de Salamanca.

El lector ya puede tener una idea general sobre el tipo de asentamientos que pudo haber en parte de La Armuña donde se encuentra Pedrosillo desde la prehistoria hasta la época visigoda. Pero ¿hay algún tipo de información sobre asentamientos concretos en nuestro pueblo y su término municipal? La respuesta quizá sorprenda a más de uno. A continuación vamos a descubrir cuáles son, dónde están y qué se sabe sobre los cuatro yacimientos arqueológicos que hay en Pedrosillo el Ralo.

En Pedrosillo se encuentran cuatro zonas denominadas SRPC, es decir, suelo rústico con protección cultural y yacimientos arqueológicos. Estas tierras cuentan con una protección especial, pues son capaces de proporcionarnos una valiosa información sobre la historia del ser humano. El patrimonio arqueológico está definido por el artículo 50 de la Ley 12/2002, del 11 de julio, de Patrimonio Cultural de Castilla y León, que dice lo siguiente: «Constituyen el patrimonio arqueológico de Castilla y León los bienes muebles e inmuebles de carácter histórico, así como los lugares en los que es posible reconocer la actividad humana en el pasado, que precisen para su localización o estudio métodos arqueológicos, hayan sido o no extraídos de su lugar de origen, tanto si se encuentran en la superficie como en el subsuelo o a una zona subacuática. También forman parte de este patrimonio los restos materiales geológicos o paleontológicos que puedan relacionarse con la historia del hombre». Es por ello por lo que las prospecciones arqueológicas realizadas en Pedrosillo han tenido como objetivo la delimitación y caracterización de estos yacimientos para velar por su conservación en los tiempos venideros. Estas cuatro zonas sobre las que vamos a hablar son: El Villar, al noreste del pueblo; Las Cabrerizas, al sur, junto a la ermita de la Virgen de Gracia; y Los Barriales y Prado Ancho, que se encuentran al suroeste del término. En este esquema podemos observar el casco urbano de Pedrosillo en el centro y las cuatro zonas mencionadas marcadas con elipses de un color más oscuro. Estos yacimientos no se caracterizan por albergar vestigios de antiguas villas, casas o poblados ni evidencias de restos arqueológicos en superficie. Son zonas donde se han encontrado materiales como cerámicas o piedras que pudieron ser objetos de decoración o de labranza hace

Mapa con la localización de los cuatro yacimientos

cientos o miles de años. Aun así, su estudio no deja de ser realmente interesante. En estas zonas se han recogido materiales de posible importancia histórica durante años, aunque las prospecciones más exhaustivas se realizaron en 1995 y en 2012, que son las que nos ayudarán a conocer más en profundidad esas zonas. No se conoce su datación exacta, aunque sí se estima a qué épocas pueden corresponder, por lo que hablaremos de ellas, una a una, por orden cronológico.

El primer yacimiento es el conocido como *Las Cabrerizas*, situado a 800 metros al sur del casco urbano y comprende un área de 7 hectáreas situada entre la ermita y la laguna de Prado Cerrado, en las tierras denominadas *Los Castriones*. Se accede a través del camino de la ermita, aunque es necesario pasar por debajo de la autovía para llegar a la otra mitad del yacimiento. Se piensa que los hallazgos descubiertos pueden pertenecer al Calcolítico (Edad de Cobre), etapa de la prehistoria que en España comienza en el III milenio a. C. y termina sobre el 1700 a. C. Aunque la autovía ha destruido una superficie considerable de esta zona de protección cultural, la parte más interesante se encuentra en las parcelas más cercanas a la ermita y al arroyo de las Salineras. La densidad de los restos hallados es bastante baja, pero hay documentados un buen número de ellos. Los primeros recogidos son una docena de cerámicas elaboradas a mano en tonos ocre anaranjados. Entre ellos se encuentran dos bordes de cuencos de paredes abiertas, una lámina de sílex de sección triangular con huellas de uso (que se habría usado como hoz), un fragmento plano de piedra con forma de lanza y parte de un molino de vaivén. Posteriormente se encontraron más cerámicas a mano, molinos barquiformes y hasta un fragmento de azuela, una herramienta para trabajar la madera. Según los expertos, parece evidente que este asentamiento prehistórico estuviese ligado a la laguna baja del prado del Cerrado, que en el pasado habría tenido una extensión mayor.

El siguiente yacimiento recibe el nombre de *Los Barriales* y es el más pequeño de los cuatro, con 4,5 hectáreas de extensión, aunque el área de dispersión de materiales es de 1,7 hectáreas. Para acceder a él se debe salir por el camino de Carrevilla, que parte del este del casco urbano. La zona de las prospecciones arqueológicas se encuentra en las parcelas colindantes al camino de Carrevilla y del Torpedero, en unas tierras conocidas como Las Víboras y Los Barriales. Se estima que este yacimiento corresponde a un momento no determinado de la prehistoria reciente. Los materiales encontrados son bastante similares a los de *Las Cabrerizas* y en su mayor parte son fragmentos de cerámica a mano sin tratamiento en su superficie, y trabajos sobre cuarcita y sílex (lascas y un elemento de hoz). En la última prospección de 2012 se encontró un núcleo de cuarcita tallado con el método Levallois, usado para crear lascas, puntas y hojas.

El tercer yacimiento, llamado *El Villar*, es el más conocido por las gentes de Pedrosillo, que también lo llaman *Las Villas*. Este es aquel en el que más hallazgos se encontraron en las prospecciones de 1995. Se encuentra al noreste del término, en las tierras de La Torcada y El Villar, y su superficie es de 9 hectáreas. Para llegar a este lugar, se debe tomar el camino de los Hoyos, que sale de la calle Ronda del Moral, al norte del pueblo. El yacimiento se encuentra a la derecha del camino tras pasar el arroyo de la Gavia de Valbellido (o de la Rebollada). Es una zona extensa de terreno que es dividida en dos por el arroyo de Valdelazarza. El nombre de El Villar no indica que en estas tierras hubiese una villa romana (aunque no se descarta esa posibilidad), como sí ocurre con la alquería de Aldealama, que vimos anteriormente, aunque con bastante probabilidad pertenecería a ese periodo histórico. Los expertos datan los restos encontrados de la época tardorromana-visigoda o altomedieval. Estos nuevamente son en su mayoría cerámicas, aunque, en este caso, realizadas con torno y que corresponderían casi todas a utensilios de cocina, como ollas. Las pastas suelen ser grises y negras, aunque también anaranjadas y blancas. Algunas de sus superficies presentan barbotinas, una mezcla de arcilla usada a menudo como pegamento cerámico, y otras destacan por sus exteriores pulidos. El fragmento con, quizá, mayor interés, es uno que muestra un cordón horizontal de arcilla añadido a su superficie. También hay materiales líticos como útiles pulimentados y lascas, además de restos de sillares y mampuestos encontrados en los límites de las parcelas al arar el terreno. Por otro lado, también se encontró una falcata ibérica, una espada prerromana que sería por tanto anterior a este asentamiento. En esta imagen se pueden ver algunos objetos encontrados en estas tierras. En el anexo fotográfico, figuran algunos de los hallazgos más interesantes.

Algunos objetos encontrados en las tierras de El Villar

El último yacimiento es el de Prado Ancho, cuya superficie mide 7,5 hectáreas. Se encuentra en una zona que comprende varias parcelas de Las Fuentes, Carrelapuerca y Los Salinares, cerca del arroyo de Prado Ancho. Para acceder a él se puede llegar por la carretera nacional hasta llegar a la altura de la Calzada Vieja. Una parte del yacimiento queda a la derecha de la carretera y la otra se encuentra a la izquierda, a ambos lados del camino de Carrelapuerca. Aquí también se han encontrado gran cantidad de restos que datarían, como ocurría con El Villar, de la época tardorromana-visigoda o altomedieval. Vuelven a ser cerámicas facturadas a torno, aunque sin tratamiento en su superficie ni decoración, además de algunas tégulas e ímbrices (tejas romanas) y ladrillos. De material lítico solo se ha encontrado una lasca simple de cuarcita.

Es un privilegio contar en nuestro municipio con estos valiosos yacimientos arqueológicos que desvelan interesantes datos sobre los antiguos pobladores de los alrededores de Pedrosillo. Actualmente, el estudio de estos lugares ha aportado cierta información, aunque puede haber mucho más por descubrir. Quizá en el futuro se puedan realizar nuevos hallazgos utilizando técnicas *in situ*, o mediante prospecciones por fotografía aérea, para averiguar si pudo haber villas o antiguos poblados en estas zonas de protección cultural.

La época musulmana es un auténtico reto para los historiadores, pues apenas nada se sabe de estas tierras durante esos siglos de ocupación. El caudillo militar musulmán yemení, Muza, ordena numerosas campañas militares para invadir la península. Alrededor del año 714 una de estas campañas, proveniente de Astorga, atraviesa esta zona para dirigirse hasta Salamanca. A partir de entonces, numerosos invasores realizaron varias razias (expediciones de saqueo), como las llevadas a cabo por Almanzor, para conquistar tierras y ciudades. Estos invasores intentaron afianzar su control sobre la zona del valle del Duero, pero fracasaron en su plan y en el año 740 se retiran para evitar desgastarse en este territorio y se instalan en tierras más meridionales. Es por ello por lo que esta despoblada zona de transición entre la región de dominio musulmán y los reinos cristianos que resistieron a la invasión en el norte de la península se convirtió en una «tierra de nadie» y es la razón por la que prácticamente no ha habido influencia musulmana en esta zona.

Tan solo hemos heredado dos topónimos de origen musulmán. El primero, el propio nombre de la comarca: La Armuña, que vendría del término *almunia*, el cual a su vez deriva del árabe *al-munyah*. Este término se traduce como «huerto» o «granja». La palabra huerto puede resultar algo insólito para designar a una comarca de tierras de secano. No obstante, esta es la traducción original y, según algunas fuentes, este vocablo también podría aludir a fincas e incluso a zonas extensas de tierras especialmente buenas para el cultivo, como ocurre en La Armuña. El otro topónimo hace referencia a un pago situado al suroeste del pueblo llamado *El Moro* según la cartografía del IGN y *Cauces los Moros* según el Catastro. Estas tierras se encuentran al sureste del teso Torpedero y junto a la laguna de las Fuentes, todas pertenecientes al término municipal de Pedrosillo.

Los primeros habitantes de Pedrosillo el Ralo, como los del resto de pueblos creados dentro de la repoblación, vinieron de los territorios cristianos del norte de España. Ángel Barrios nos ilustra acerca de la procedencia de los habitantes de los territorios que conforman ahora La Armuña. Así, observamos que gran parte de estos repobladores son gallegos y asturleoneses.

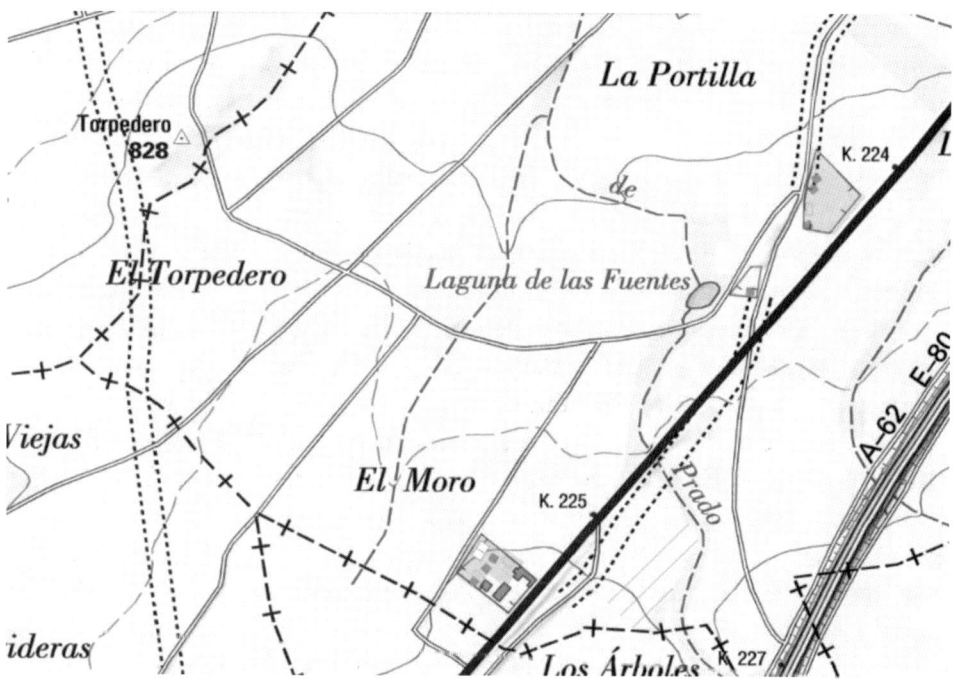

Localización de las tierras de El Moro en el término municipal

También encontramos vasconavarros, riojanos, ultrapirenaicos y, en menor medida, castellanos. Como muestra de estas procedencias encontramos topónimos referentes a los navarros, por ejemplo, la localidad de Naharros de Valdunciel; ultrapirenaicos, como un antiguo poblado de La Vellés llamado Pedrosillo de Francos (o Pedrosillo el Franco); y castellanos, como el pueblo de Castellanos de Moriscos.

No conocemos con exactitud cuáles fueron los primeros pobladores de Pedrosillo el Ralo, aunque el origen del nombre del primer pedrosillano del que hay constancia (y del cual hablaremos más adelante) nos da una pista: Munio Felizes. Munio es un nombre que era muy común entre los vascos de la Alta Edad Media. Antonio Llorente nos cuenta que Munio y sus derivados Muño y Muñoz son antropónimos muy frecuentes entre los vascos, navarros, riojanos e incluso castellanos. Así que, aunque no conocemos la procedencia exacta de los primeros pedrosillanos, no sería descabellado sacar conclusiones aproximadas a partir de esta información.

Un tema interesante de abordar es la procedencia del nombre de Pedrosillo el Ralo. Como muchos otros pueblos, está compuesto por dos partes que hay que tratar por separado. En cuanto a la primera parte del topónimo, Pedrosillo, no parece fácil encontrar una explicación exacta del porqué de su elección. Aun así, diversos autores reflexionan acerca de dos posibles explicaciones. La primera sería considerarlo descriptivo, pues el término «pedroso» hace referencia a un terreno pedregoso o cubierto de piedras. No parece un adjetivo muy acertado para describir las tierras pedrosillanas, por lo que el diminutivo «illo» podría haber sido añadido para designar escasez y crear un antónimo de pedroso. Otra posible explicación, más plausible para algunos, es pensar que los repobladores escogiesen este nombre para recordar su procedencia. Pedroso o Pedrosillo son topónimos frecuentes de Galicia, Asturias, La Rioja y el este de la Meseta, lo que concordaría con lo anteriormente comentado acerca del origen de los primeros habitantes del pueblo.

El predicado *el Ralo* es mucho más concreto y hace referencia a la disposición de las casas y edificios del municipio. La estructura original del pueblo respondería a un conjunto ralo, es decir, separado y poco poblado. Parte de esa distribución es todavía apreciable, pues es un pueblo de calles anchas y numerosos espacios abiertos entre las partes que lo componen. Un simpático dicho popular reza lo siguiente: «Pedrosillo el Ralo de casas, pero no de barro», haciendo una cariñosa crítica a las características del barro que se forma en estas tierras.

Este nombre ha cambiado ligeramente desde el que consideramos que es, si no el original, el más antiguo. La primera referencia escrita al nombre de nuestro pueblo lo denomina: *Perosillo Raro.* Más tarde encontramos algunos escritos donde aparece *Pedrosielo Raro, Perosilloraro, Pedrosillo rralo* y *Perosillo Ralo.* Es ya a finales del siglo XVIII cuando se introduce el artículo «el» y, por tanto, desde el siglo XIX aparece el nombre definitivo de Pedrosillo el Ralo. En alguna ocasión, aunque de forma muy esporádica, en la prensa histórica se escribe el término «Rálo» con tilde. Tampoco es extraño encontrar la denominación Pedrosillo de Armuña en documentos del siglo XVIII o XIX, se sabe perfectamente por el contexto que se está hablando de Pedrosillo el Ralo y no de El Pedroso de la Armuña. No es un cambio sustancial el que experimenta, pues tan solo se modifican algunas letras en ocho siglos, al igual que ocurre en pueblos de alrededor: Archediano (Arcediano), Gómez Tello (Gomecello), Paiares (Pajares de la Laguna), etc.

Plantear una búsqueda del año de fundación de Pedrosillo el Ralo, en el caso de que tal cosa exista, se antoja demasiado ambicioso. Hemos visto ya que su origen, como el del resto de pueblos de la comarca, se debe a la repoblación efectuada por los reyes de León en la Edad Media. Aun así, es difícil imaginar la posibilidad de determinar con exactitud el momento en el que el conjunto de edificaciones que se encontraba en el lugar del actual pueblo recibiese el nombre de Perosillo Raro o alguna variante similar. De todas maneras, resulta una emocionante tarea tratar de acotar lo más posible el rango de fechas entre las cuales podamos situar la fundación de nuestro pueblo.

El primer intervalo que podemos considerar es aquel que hay entre los años 939 y 1240. Entre ambas fechas pasan 301 años, por lo que deberemos investigar más en profundidad para intentar estrechar el cerco. Pero antes vamos a ver la razón que subyace a estas fechas. El año 939 es un momento clave en cuanto a la repoblación llevada a cabo en la frontera del Tormes por los reyes cristianos, que avanzaron para recuperar territorios conquistados por los musulmanes. Este proceso repoblador efectuado sobre la cuenca del Duero fue todo un reto para los colonos cristianos, puesto que esta zona quedó prácticamente despoblada en su totalidad debido a la crisis vivida en el Imperio romano desde el siglo III hasta el V, a las epidemias y hambrunas, y al fracaso por parte de los musulmanes en su intento de conquistar estas tierras. El año 1240 es la fecha de la que data el documento más antiguo que se conoce sobre Pedrosillo el Ralo. Por tanto, es seguro que en ese intervalo de tiempo tuvieron lugar los comienzos de nuestro pueblo.

En el año 939, después de la exitosa derrota del ejército de Abd al-Rahman III por las tropas militares de los reinos cristianos, el rey León Ramiro II realiza la primera repoblación de lo que es hoy la provincia de Salamanca. Esto no quiere decir que estos territorios fuesen completamente yermos con anterioridad a este proceso, sino que grupos de campesinos ya debían de haberse asentado por esta zona sin ninguna organización apreciable, por lo que no podemos hablar todavía de pueblos o aldeas como tales. Además, esta primera actuación repobladora no tuvo el éxito esperado. Incluso en el año 980 Almanzor vuelve a devastar la región de La Armuña, así que podría decirse que Ramiro II simplemente sentó las bases de acciones futuras que sí que tendrían cierta importancia. Sigamos entonces avanzando un poco más en la historia.

Fundación y primeros escritos

La Armuña siempre ha sido una zona muy apreciada debido a las condiciones excepcionalmente óptimas para el cultivo que presentan sus tierras. Por ello, el interés que despertaba contribuyó a que fuese de las primeras comarcas en las que la acción repobladora tuviese un papel más importante, fue la primera de la «Extremadura leonesa» en la que tuvo lugar este proceso. De todos modos, hasta la reconquista de la ciudad de Toledo por el Reino de Castilla en 1085, la repoblación no tuvo un peso significativo, aunque es bastante probable que se fueran configurando diversos asentamientos durante todo el siglo XI. En todo caso, es en la primera mitad del siglo XII cuando se consolida el asentamiento de los repobladores procedentes del norte de la península, y se comenzó con las acciones que se llevan a cabo a partir del 22 de junio de 1102.

La escritura que data de esa fecha refleja una donación al obispo de Salamanca por parte de Raimundo de Borgoña, repoblador de la ciudad de Salamanca y yerno de Alfonso VI de León. A partir de ahí comenzó la definitiva, pero lenta, repoblación de La Armuña. Es por ello por lo que, aunque probablemente ya hubiese construcciones en los terrenos que hoy pertenecen a Pedrosillo durante el siglo XI, parece factible que durante el siglo XII se completaran las viviendas para los repobladores y estos llamasen a ese conjunto de casas con un nombre que con los años evolucionaría hasta convertirse en *Pedrosillo el Ralo*. Anterior a ese hecho quizá pudo haber ciertos moradores que se habrían organizado jerárquicamente, es decir, campesinos dedicados al laboreo agrícola al mando de caballeros, pero que no necesariamente serían nobles. Estaríamos hablando, por tanto, de protoaldeas que no contarían todavía con estructura municipal. Esta hipótesis podría explicar por qué encontramos documentos a lo largo de todo el siglo XII en los que no solo aparecen donaciones de propiedades al cabildo de Salamanca, sino también cesiones de aldeas enteras, algunas de las cuales podrían haber adoptado el nombre del clérigo o colono que llevó a cabo la repoblación del lugar, como sería el caso de Arcediano (en honor al arcediano franco Rozalino) o Gomecello (en honor a Gómez Tello). Al poco tiempo de comenzar la repoblación se empiezan a diferenciar estos poblados que pertenecían a un solo noble o institución de aquellas aldeas concejiles que eran propiedad de varios descendientes de los repobladores medievales. De acuerdo al escrito que pasaremos a analizar en breve parece que la fundación de Pedrosillo tuvo que ser anterior al siglo XIII pues el pueblo ya estaba convenientemente estructurado.

Es muy escasa la información de que disponemos en cuanto a este proceso repoblador en la provincia de Salamanca, por lo que se hace muy difícil concretar hechos y fechas. Los textos más extensos que encontramos tratan sobre las tierras de Ledesma, de Alba de Tormes o de Ciudad Rodrigo, lo cual no nos es de demasiada utilidad. Los primeros documentos que reflejan nombres de aldeas armuñesas corresponden a las primeras décadas del siglo XII y unas cuantas de ellas a documentos de 1136. Un total de 12 pueblos de La Armuña figuran ya en documentos de este siglo, aunque son mayor número aquellos pueblos cuyos documentos más antiguos encontrados por otros autores datan del siglo XIII o posteriores. En 1160 encontramos un documento del Obispado de Salamanca donde aparecen algunos pueblos de La Armuña entre los cuales no se encuentra Pedrosillo, aunque esto no tiene por qué significar que no existiese como tal. Muy probablemente estuviese terminándose de configurar por entonces, puesto que por el año 1157, coincidiendo con la muerte de Alfonso VII y la división de Castilla y León, al quedarse cada uno de sus dos hijos con uno de los reinos, prácticamente habría terminado la repoblación de La Armuña y con ella la creación de la mayor parte de sus pueblos y aldeas, aunque solo se conserven referencias de tres de ellos anteriores a 1157. Esto no significa que la llegada de nuevos colonos se detuviese, pues gracias al Fuero de Negrilla sabemos que en 1170 se seguían concediendo privilegios a aquellos que quisiesen asentarse en estas tierras por parte del cabildo de Salamanca. Desde luego lo que observamos es que no es fácil acotar mucho más la búsqueda de la fundación de nuestro pueblo.

Vamos a conocer qué nos cuentan los primeros documentos de los que tenemos constancia que hablan de Pedrosillo el Ralo. Estos datan del siglo XIII y el más antiguo de ellos corresponde al año 1240. Es un documento que guarda el Obispado de Salamanca y se refiere al pueblo como «Perosillo Raro». En él se pueden leer algunos de los datos más antiguos sobre Pedrosillo, como que se encuentra a tres leguas de Salamanca, que posee 120 vecinos (que se traducen en unos 480 habitantes como veremos más adelante) y que tiene una parroquia en honor a san Andrés. Esta parroquia a la que se refiere es la primitiva iglesia que hubo en el pueblo antes de la que existe hoy en día, que data del siglo XVI. No da mucha información acerca de nuestro pueblo, pero aun así debemos agradecer que este documento con casi ocho siglos de antigüedad se conserve hoy en día. Una pena es no encontrar ninguna mención a Pedrosillo en el compendio de documentos del Archivo de la Catedral de Salamanca del siglo XII realizado por Florencio Marcos para la revista *Salmanticensis*, como sin embargo sí ocurre con algunos pueblos armuñeses tales como Palencia, Negrilla, La Vellés, La Mata y Carbajosa.

El siguiente escrito que nombra a Pedrosillo es de julio de 1244 y permanece custodiado en el Archivo Histórico Nacional, con copia en el Archivo Catedralicio de Salamanca y mencionado en libros recopilatorios de documentos del siglo XIII de Salamanca. En él se muestra la voluntad del vecino Munio Felices de donar unas heredades suyas en Pedrosillo Francos y Pedrosillo el Ralo a Santa María de la Sede de Salamanca. Recogemos la parte más importante de este documento:

> «Conoscida cosa sea por este escripto como io Munio Felizes do et atorgo quanta heredade io avia et a mi pertenecie en Pedroselo de Francos et en Pedrosielo Raro a Santa Maria de la Sey, por dios et por mi anima et por anima de Loba Andres et de toda nostra linage. Esta heredade do io a Sancta Maria libre et quieta, con casas, et con prados, et con entradas, et con salidas, assi como la yo avia. De hoy adelante sea de mi poderío sacada en possession de Sancta Maria confirmada.
>
> Et si algun omme vinere de mios o de extraneos que este nostro pleyto quiser demandar, peche en calonia al rey D morabetinos, et a los alcaldes C et duple la peticion a Sancta Maria.
>
> Facta karta apud Salamanticam in mense iulii, sub era MCCLXXXII; regnante rege Fernando [...]
>
> Et ego domnus Petrus Fernandi de mandato Munio Felices soy fiador et manero de defender el cabildo con esta heredade si nul omne, fuesse de sus filios o de sus parentes, la quises demandar o de otro omme que les quises contrariar sobrela.
>
> Petrus Carus scripsit».

Entre medias se nos presentan los nombres de los testigos de este «pleyto», que se han obviado en este texto. En números romanos se indica que el escrito es de 1282. Esto no debe causar confusión al lector puesto que esta fecha es referida a la época romana, mientras que la que estamos teniendo en cuenta (1244) es de la época cristiana, al igual que todas las demás de las que hablaremos.

Unos años más tarde en 1253, encontramos la venta de unas heredades en «a Velaez», que suponemos es La Vellés, al deán de Salamanca, Domingo Martín, y al cabildo. En este documento averiguamos el nombre de otro pedrosillano de la época, el segundo encontrado por antigüedad. Él es Pedro de Marinel y su hermano Domingo Martín, que no especifica si también vivía en Pedrosillo. Entendemos que este hermano tenía por nombre Domingo Martín y por apellido de Marinel y, por tanto, no sería el mismo que el deán, cuyo nombre es Domingo y su apellido Martín.

El autor solo ha conseguido localizar un escrito del siglo XIV en el que se mencione a Pedrosillo. Este corresponde a un acta capitular de la catedral de Salamanca. La fecha en la que se redactó fue el 7 de noviembre de 1317. En él se muestra una relación de préstamos que ciertos lugares y aldeas de Salamanca tienen obligación de pagar en quince días «so pena de X sueldos de la bona moneda». Son 19 los lugares que aparecen en ese texto, de los cuales 12 eran pueblos y aldeas de La Armuña, Pedrosillo era uno de ellos.

Continuamos ahora hasta el siglo XV, cuando encontramos algunos textos de no demasiada relevancia para el pueblo, pero interesantes de conocer. El primero de ellos, que a su vez es una de las primeras menciones a la comarca de La Armuña, es un documento de la universidad, fechado en 1421, que transcribe el texto de una concordia llevada a cabo entre la ciudad de Salamanca y el Estudio. De la parte de la ciudad son dos los firmantes: Alfonso Martínez, de Babilafuente, representante del cuarto de Valdevilloria y Andrés Pérez, de Pedrosillo el Ralo, sexmero del cuarto de Armuña. El segundo escrito es una carta ejecutoria de hidalguía del 27 de marzo de 1444 escrita en Fuentesaúco (Zamora). Una carta ejecutoria era uno de los procedimientos más comunes de esa época para resolver algún tipo de litigio o disputa, y algunas de las más atractivas históricamente hablando, son las de hidalguía. Estas pretendían reconocer el estatus social de una persona para recalcar a qué estamento de la sociedad pertenecía. La que aquí tratamos es un fallo a favor del vecino de Pedrosillo, Juan Fernández Bravo. No disponemos de una transcripción más actual de este escrito, por lo que debemos leer directamente de los pergaminos originales, lo cual es realmente dificultoso, debido a la caligrafía de la época y al estado de estos. Como curiosidad podemos ver en esta imagen el nombre de nuestro pueblo escrito en este documento original del siglo XV, y al cual se refieren como Perosillo Ralo. A pesar de la dificultad para extraer información, podemos apreciar que palabras como padre, abuelo o bisabuelo se repiten a menudo a lo largo de las diez páginas de estos pergaminos, lo que podría indicarnos que la justificación de este recurso se realizó exponiendo determinados vínculos familiares y de linaje para que la ejecutoria fallase a favor de don Juan Fernández Bravo. Se habla de cuándo fallecieron estos familiares y de cuáles eran los testigos vivos a los que poder preguntar, los

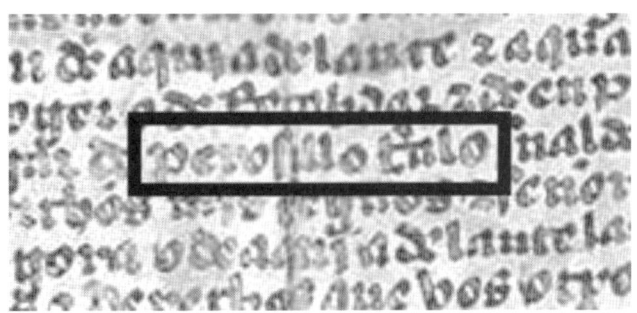

Nombre del pueblo en documento de 1444

cuales debían contarle al notario aquello que supiesen sobre la familia. Al parecer, estos testigos eran mayoritariamente vecinos de Pedrosillo, puesto que serían los más idóneos para dar este tipo de información, mientras que no lo eran aquellos que no residían, como observamos en la siguiente frase: «que non sabia si [...] posesion de fidalgo por quanto este testigo non moraba en el dicho logar para que lo el podiera saber».

Los siguientes que vamos a tratar hablan de una serie de préstamos a diferentes pueblos de Salamanca. Esta acepción de la palabra préstamo ha caído en desuso pues es una palabra ligada a las finanzas de la iglesia en la antigüedad. Según la RAE, un préstamo era una pensión procedente de rentas eclesiásticas que se daba temporalmente a los que estudiaban el sacerdocio, y que luego pasó a convertirse en una especie de beneficio por parte de la Iglesia. En el último escrito se habla de unas letras de inhibición contra el obispo por este asunto, pero no sabemos lo que ocurrió posteriormente. A continuación reproduciremos estos escritos traducidos al castellano actual por Florencio Marcos y entre comillas parte del texto original. Es interesante ver la mejora en la legibilidad de las palabras originales fruto de la evolución del castellano durante estos dos siglos.

3 de diciembre de 1454 en Salamanca. Concordia entre el Cabildo de Salamanca y don Pedro Fernández Solis, tesorero de la catedral, para defender los préstamos que fueron de Ruy López Davalos. chantre, y de Juan Fernández Rámaga, chantre de Badajoz, contra el arcediano de Camaces. Y toma de posesión de los préstamos de Santo Tomé de Medina, La Sierpe, Valero, Monleón, Escurial, Armenteros, Zorita, Pedrosillo el Ralo, Endrinal, Los Santos, Zarzoso y Parada de Yuso. — «En la çibdad de Salamanca a tres días del mes de desiembre anno del nasçimiento del nuestro Señor Ihesu Christo de mill e quatroçientos e cinquenta e quatro annos».

19 de marzo de 1456 en Salamanca. Compromiso entre el cabildo de Salamanca y Alvar Perez, chantre, sobre los préstamos de Zorita y Pedrosillo el

Ralo. — «En la çibdat de Salamanca dies e nueve días del mes de março anno del nacimiento de nuestro Salvador Ihesu Christo de mill e quatrocientos e cincuenta e seys annos».

8 de junio de 1456 en Roma. Letras de inhibición contra D. Gonzalo de Vivero, obispo de Salamanca, a instancia del cabildo, sobre los préstamos de Zorita de la Frontera y Pedrosillo el Ralo. — «Datum et actum Rome... sub anno a Nativitate Domini millesimo quadringentesimo quinquagesimo sexto... die vero martis, octava mensis iunii...».

El 16 de noviembre de 1472 se aprueba el arrendamiento del cabildo a María Sánchez de todos los frutos, diezmos, rentas y posesiones de la media ración que el cabildo tenía en la iglesia de Pedrosillo, por todos los días de su vida, por cincuenta fanegas de trigo. El 6 de febrero de 1490 tiene lugar un trueque entre Miguel Fernández, clérigo capellán del coro, como procurador y en nombre del cabildo, y el vecino de La Orbada, Martín García. El intercambio consistía en ceder las posesiones y heredades «de pan llevar» que tenía Martín García en La Orbada y, a cambio, recibir todo lo que pertenecía al cabildo en Pedrosillo. Fueron tasadores de los bienes algunos vecinos de Espino de la Orbada, La Orbadilla, Pedrosillo el Ralo y La Orbada. Dos días después, estos tasadores estiman que las posesiones de La Orbada valen más que las de Pedrosillo, aunque hay que esperar al 21 de junio de ese mismo año para que se tome una decisión al respecto, y se determina que se debe de pagar a Martín García treinta y cuatro mil maravedíes, además de los bienes de Pedrosillo para que el trueque sea correcto. Cinco días después se hace efectivo el cobro y se da por concluido el cambio de heredades.

El primer documento del siglo XVI que encontramos referente a Pedrosillo se encuentra en el Archivo Catedralicio y se refiere a una reunión del cabildo en la cual se quería poner en venta las heredades de Pedrosillo el Ralo, La Vellés y Pedrosillo de Francos que había dejado el canónigo Diego de Chaves. El documento más antiguo de este siglo que guarda la Diócesis de Salamanca es un proceso beneficial entre Francisco Maldonado y Francisco de Grado en 1517 por la capellanía fundada por María Alonso, difunta vecina de Pedrosillo, en la iglesia de San Andrés. Francisco Maldonado alegaba que a él le correspondía la capellanía por ser pariente en cuarto grado de la fundadora. Durante el resto del siglo tienen lugar una serie de pleitos litigados por el concejo de Pedrosillo el Ralo con el concejo de Villaverde de Guareña sobre diversos temas relacionados con uso y la explotación de tierras, así como con el aprovechamiento de pastos y aguas de diversos prados.

Un proceso curioso que tiene lugar en esta época es la emigración salmantina al Nuevo Mundo. Durante este siglo, en especial en los años 30 y

60, son numerosos los salmantinos que emigran a «hacer las Indias» tras el descubrimiento de América, y colaboran con el proceso colonizador y con la evangelización de los indígenas. Sabemos que entre 1517 y 1700 más de 2000 habitantes de la provincia de Salamanca emigraron a la Nueva España. En Salamanca capital fueron 980, y en Ciudad Rodrigo, 417; el impacto de esta emigración en los pueblos pequeños fue bastante escaso. Aun así, son ocho los pueblos armuñeses de los que se tiene constancia que hubo vecinos suyos que fueron emigrantes y, entre ellos, está Pedrosillo. Aunque no sepamos el número exacto de pedrosillanos que emigrasen al Nuevo Mundo, estos no debieron ser más de tres o cuatro.

El bautizo más antiguo que el autor ha encontrado llevado a cabo en la iglesia de San Andrés data del 7 de agosto de 1575. El niño se llamaba Francisco y era hijo de Francisco Luengo e Inés, «su legitima muxer». En el libro aparece la primera boda registrada, que se celebró el 11 de septiembre de 1575. Contrajeron matrimonio «Pedro de Armentero hijo de La Vellés e Isabel Herrera hija de este lugar». De igual manera, el primer fallecimiento registrado es el de María González, mujer de Andrés García, que murió el 8 de julio de 1579.

En 1640, el beneficiado Alonso Porteros Ayuso hace un compendio sobre los mandatos que él cree de mayor importancia que hay en el libro de fábrica (o de contabilidad de la iglesia) anterior a 1620 para evitar el trabajo de sacar ese libro. Es una lástima que ese libro ya no se conserve, aunque debemos agradecer la labor de este hombre para hacer que hoy en día podamos tener acceso a estas curiosidades de la parroquia de Pedrosillo a finales del siglo XVI. Encontramos mandatos de 1574 y 1575 mediante los cuales se dan ciertas órdenes al sacristán, una de las cuales le manda que tenga gran cuenta de los que entran tarde en misa el día de fiesta y también se informa de cuáles eran las obligaciones del beneficiado (clérigo de la parroquia que gozaba de un beneficio eclesiástico), que debía cumplirlas «so pena de excomunión mayor». Uno de ellos lo exhorta a que cada vez que se haga alguna declaración de cualquier tipo en la iglesia, se mencione algún artículo de la fe o de la doctrina cristiana, mientras que otro ordena que se dé misa los días de trabajo conforme al sinodal y que el sacristán toque las campanas al entrar. Otro mandato curioso de esos años, sin especificar la fecha exacta, indica que ningún niño mayor de ocho años se puede subir a la tribuna en la misa de los días de fiesta bajo pena de un real, que tendría que pagar su padre. En 1593, el canónigo Herrera ordena al sacristán que tenga cerrada con llave la torre bajo pena de medio real por cada vez que no lo haga. Para terminar, otra sorprendente ordenanza de 1599 establece que ninguna mujer puede entrar a oír misa en el coro entre los hombres bajo pena de media libra de cera.

Pedrosillo entre los siglos XVII y XIX

En este capítulo vamos a conocer cómo era Pedrosillo el Ralo durante esos tres siglos. Existen tres libros muy importantes y comúnmente usados para obtener información sobre el pasado de los pueblos de Salamanca que, de forma muy detallada, ofrecen una descripción extraordinaria de estos. Es digno de reconocer el excelente trabajo que llevaron a cabo todas aquellas personas que contribuyeron a realizar estos magníficos escritos, los cuales afortunadamente se han conservado en óptimas condiciones hasta nuestros días. Todo ello añadido a la gran cantidad de documentos que se guardan en varios archivos históricos de Salamanca, hace que este sea un capítulo realmente interesante y lleno de información sobre el pasado de nuestro pueblo. Iremos explorando aquello que nos cuentan acerca de sus casas, sus calles, sus gentes, etc. y comentaremos lo que sea de mayor interés entre todo lo expuesto en sus páginas.

Empezamos viajando hasta el siglo XVII, más concretamente hasta sus primeras décadas. Un minucioso libro nos relata con gran detalle cómo eran los pueblos salmantinos entre 1604 y 1629: El *Libro de los Lugares* y *Aldeas del Obispado de Salamanca*. En 1982, Antonio Casaseca Casaseca y José Ramón Nieto González transcribieron en su totalidad estos manuscritos e hicieron que estos fueran mucho más fáciles de leer. A continuación se presenta el texto exacto que hace referencia a Pedrosillo el Ralo y que, posteriormente, procederemos a comentar:

> «Este lugar está de Salamanca dos leguas y media, tiene una iglesia del Señor Sant Andrés, la qual es de cantería, con su torre y portal, tribuna y sacristía, tiene los ornamentos necesarios, una muy buena cruz de plata y su manga rica vordada y binaxeras de plata y dos cálices de plata, uno dorado y otro por dorar, y su custodia de plata dorada para el día de Corpus Xripsti.
>
> La fábrica vale 36 mil maravedís, gasta los 20.000; el préstamo es de la cathedral de Salamanca.

El benefizio es curado, vale cient mil maravedís, poséelo Pedro de Erre-ra, natural de Almeyda, obispado de Çamora, teólogo, tiene de pensión en el dicho benefizio, las tres partes de quatro, Bernardo del Arco, vezino de la villa de Alcalá de Henares.

Aquí ay una media ración, afectada a la ración del racionero Medina, en Salamanca. (Esta la cobra Martín Sánchez como arrendatario del Racionero Medina. Poséela Alonso de Galiano).

Aquí ay una sacristía que vale 20 mil maravedís, que posee un criado del Nuncio, a proveer del mes que vacare.

Aquí ay una capellanía que fundó María Fernández con tres missas cada semana, patrón el concejo de dicho lugar, capellán Bernardo Martín, vezino de Gomecillo, cumple bien, su capellanía vale de renta ciento y sesenta fanegas de trigo.

Aquí ay otra capellanía que fundó Francisco Lasso y su mujer Juana García, con una missa cada biernes, tiene de renta 80 fanegas de trigo y unas viñas y unas casas, es patrono el capellán por su vida, el qual es Juan García Lasso y después del concejo, dícense las missas y mandan los fundadores que el capellán sea de missa y este capellán no lo es muchos años ha, por que so color de estudiante, a dilatado y dilata el ordenarse, a ssido castigado por los provisores de Salamanca y condenado a que se ordene, tiénelo apellado ante el provisor de Çiudad Rodri-go, a donde está empatado, dexé mandato al concejo a que sigan la apellaçión y acaven el pleyto, adbierto a V.Sª que el fundador de esta capellanía dexó al dicho capellán cassi seiscientos ducados, para que después de los días del dicho Juan Lasso, se agregassen a la dotte de la dicha capellanía y todo lo ha consumido.

Aquí ay un hospital bien tratado y probeído de ropa necessaria, tiene veyn-te fanegas de trigo de renta en cada un año, reparte las doce las pascuas en pobres y lo demás gasta en beneficiar los pobres que vienen al dicho hospital, tubo de alcalce doce mil maravedís para el mayordomo, mandé que de ellos se impussiesen los siete mil a censso.

Aquí ay una hermita de Nuestra Señora de Gracia, está bien tratada, tiene de renta al año y vez siete fanegas de trigo, que se gasta en reparos de la dicha hermita.

Aquí tenían quexa los vezinos de este lugar del beneficiado sobre cuio me-morial que havían dado a V. Sª, que se me entregó, y en todo él quedaron con-formados en materia de derechos, porque se le mandó no lleve mas de lo que es usso, hasta que V. Sª lo aumente y provea lo que fuere justicia».

Dada la evolución que ha tenido el idioma castellano desde el siglo XVII hasta la época presente, resulta conveniente repasar algunos términos del texto que están en la actualidad casi o totalmente en desuso. La palabra «fábrica», cuando es referida a una iglesia, no tiene relación con la acepción de construcción hecha con piedras, sino que esta era una renta o derecho que se cobraba para reparar y costear los gastos del culto divino de dicho templo. Para el caso de la iglesia de San Andrés, vemos que valía 36 000 maravedíes, de los que se gastaban 20 000. Esto nos lleva a fijar la atención en la palabra «maravedí», que es el nombre que recibía una antigua moneda española utilizada entre los siglos XII y XIX y que existió tanto de forma física como valiendo de moneda de cuenta. Dependiendo de la época, su conversión con otras monedas ha sido diferente, y eran equivalentes, por ejemplo, 350 maravedíes a un escudo en el año 1535 o un maravedí fue igual a 3 céntimos de real a partir de 1854 y durante el reinado de Isabel II. El «beneficio» es el conjunto de derechos y remuneraciones adicionales que obtenía un eclesiástico de una capellanía, en este caso Pedro de Herrera. Cuando se refiere al beneficio como curado, quiere decir que este tiene por objeto la cura de almas, por tanto, esta pensión se daba al que ejercía el oficio de atender religiosamente a los feligreses que acudían a la iglesia. Continuamos con la palabra «fanega», que es una unidad de medida anterior a la implantación del sistema métrico decimal. Era tanto una medida de capacidad como de superficie. Se utilizaba especialmente para medir productos agrícolas, por lo que la fanega de trigo era una unidad muy usada. Se puede entender como el peso en trigo que puede caber dentro un depósito con capacidad de una fanega. En este contexto la fanega de trigo no se interpreta como una unidad de masa, sino de dinero, y equivaldría a la suma de dinero que costaría vender esa cantidad de trigo.

El escritor de este texto habla muy bien de la iglesia, de su decoración y de los objetos que se custodian en ella, debido a que su construcción era reciente (s. XVI). El culto religioso debía de ser muy activo, pues había dos capellanías y se decía misa cuatro veces a la semana. Además, la ermita estaba muy cuidada y se destinaba dinero a su mantenimiento. Muy interesante es conocer que hubo un hospital en el pueblo que funcionaba de manera eficiente. Debía de ser una casa de hospedaje a la cual llegaría gente con necesidad de cobijo y personas pobres o que requerían atención médica básica. Este hospital es mencionado tanto en este documento como en el Catastro de Ensenada que veremos a continuación. Hoy en día se conserva un libro de cuentas en el Archivo Diocesano que abarca desde 1692 a 1807 y en el que se refleja aquello a lo que se destinaba parte del dinero que recibía este establecimiento. Además de las pertinentes cantidades que se reservaban para el mantenimiento de este lugar, el resto de las partidas iban al cuidado de la gente necesitada o enferma.

Buena parte del dinero servía para atender a «los pobres del lugar» y otra parte se destinaba a los «pobres forasteros». También encontramos limosnas, donaciones extra de dinero a los pobres durante las tres pascuas y gastos de botica para la gente enferma del pueblo. Al igual que pasaba con las cuentas de la parroquia, como veremos más adelante, el obispo realizaba periódicas revisiones de las cuentas del hospital y se aseguraba de que la hospitalidad y el trato que recibían los huéspedes era el correcto.

En 1683, en lo que parece un ordinario registro bautismal, encontramos algo sorprendente. Dice así: «En seis dias de el mes de febrero de mill seiscientos y ochenta y tres años yo Francisco Martin de Aparicio beneficiado de este lugar de Perosillo hice los exorcismos y puse los santos olios a Margarita hija de Alonso [...]». No sabemos si en Pedrosillo se realizaban exorcismos tal y como hoy en día los conocemos o simplemente era una expresión para referirse a la liberación del pecado original por medio del bautismo. En cualquier caso, este tipo de afirmaciones aparece en muy pocas ocasiones en el libro bautismal de esta época, y siempre es llevado a cabo por el mismo sacerdote.

Continuamos hasta el siglo xviii, cuando nos encontramos con el escrito histórico más exhaustivo referente a Pedrosillo el Ralo. Entre 1749 y 1752, a propuesta del Marqués de la Ensenada, ministro de Fernando VI, se realiza un minucioso estudio acerca de los lugares de la Corona de Castilla. Este documento recibe el nombre de Catastro de la Ensenada. El 3 de junio de 1752 se reúnen en nuestro pueblo bajo la presidencia de Gonzalo de Rosas, juez subdelegado, Francisco de Dios y Juan Martínez de la Iglesia, alcaldes pedáneos, y el regidor y procurador (que fue mayordomo de la fábrica de la iglesia en 1747) Domingo Laso, entre otros, para responder a las 40 preguntas del interrogatorio ordenado por el Marqués en lo referente a Pedrosillo el Ralo. Estas son muy variadas y tratan sobre diferentes asuntos relativos a la población, las casas, los cultivos, los oficios… En total, 24 son las páginas dedicadas a nuestro pueblo, que comienzan con las líneas que se pueden ver en la siguiente. En algunos monográficos realizados sobre otros pueblos, se ha transcrito literalmente toda la serie de preguntas y respuestas relativas a cada lugar. Dada la considerable mayor longitud de este texto en comparación con los otros dos importantes que se exponen en este capítulo, el autor ha estimado oportuno modificar la narración e introducir algunas aclaraciones entre sus líneas para hacer más amena su lectura. A continuación, se exponen las respuestas obtenidas que presentan mayor interés y que detallan con gran precisión como era Pedrosillo el Ralo en 1752.

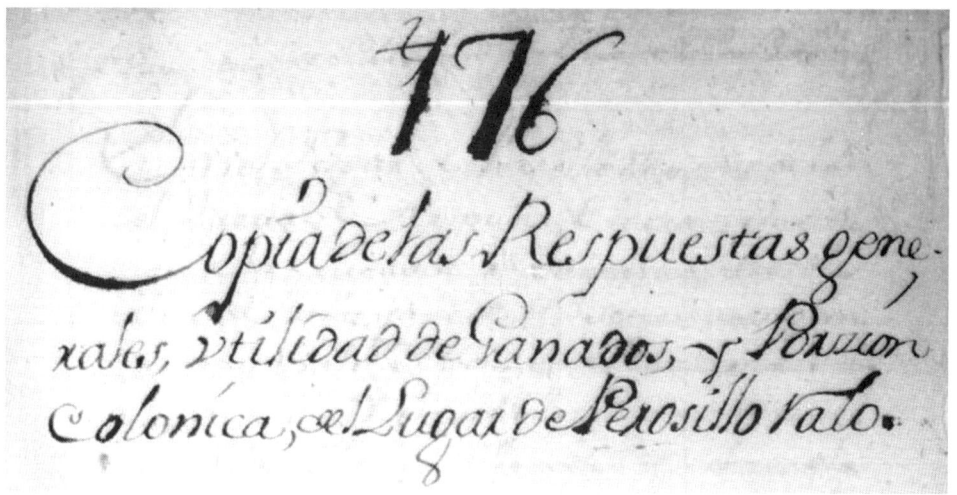

Cabecera de la portada de las respuestas de Pedrosillo al Catastro

Se empieza hablando del término, indicando que limita con La Vellés, Villaverde, Gomecello y Castellanos de Moriscos. Comentan que las tierras solo son para trigo en seco, que existen algunos prados privativos de particulares, unos valles del concejo y que no hay monte ni árboles. Dicen que el término tiene en total 1272 huebras y se le asigna como unidad de medida a la huebra 400 estadales de cuatro varas. Aunque el cultivo es principalmente de trigo (predominantemente la clase denominada *rubión*), también se siembra algo de cebada, algarrobas, garbanzos y lentejas. Se menciona que dos huebras son de cortinas para herrén. Las cortinas son fincas delimitadas por muros hechos de piedras y, en este caso, se destinaban para herrén, es decir, forraje para el ganado que se consigue sembrando avena, cebada, trigo o centeno y segando aun cuando este está verde. Las tierras son divididas según su calidad en tres grupos: buena, mediana e inferior. Son 450 huebras las de buena calidad, 300 huebras de mediana y 450 de calidad inferior. La producción media por año era de ocho, seis y cuatro fanegas de trigo por huebra, según calidad, y su valor medio era de 16 reales de vellón por fanega de trigo, 8 la de cebada, 10 la de algarrobas, 30 la de garbanzos y 10 la de centeno, lentejas y avena. Los prados son todos de calidad inferior salvo uno de buena calidad que dicen que es particular. No existían viñas, bosques, matorrales o árboles frutales salvo unos negrillos plantados sin orden junto a la ermita. Tampoco había productos derivados de la ganadería, tan solo lo respectivo a la agricultura dicho anteriormente.

A la pregunta número 15 se responde lo relativo a los impuestos, los cuales eran muy parecidos entre los diferentes pueblos y aldeas de La Armuña.

Hablan del diezmo «a Dios nuestro señor» que se cobraba en grano, como una fanega de diez o la parte proporcional si no se llegaba a esa cantidad, un pollo de cada diez y otras cantidades si se criaban otros tipos de animales. También se pagaba el voto al apóstol Santiago y las primicias, ofrendas que se daban a Dios y de forma voluntaria hasta la Edad Media, cuando pasaron a ser un tributo obligatorio de la Iglesia. También había una parte correspondiente al cabildo de Salamanca y a la universidad, entre otros.

En la pregunta número 20 se pide a los vecinos información sobre qué especies de ganado hay en el pueblo y su término. Estas eran: bueyes de labor, yeguas de vientre, mulas, machos, pollinos de carga, pollinas y cerdos. Se indica que, de estas especies, los bueyes, las yeguas y las mulas se mantenían «la mayor parte del año en los términos de las alquerías de la Orbadilla y Villanueva de los Pavones, que traen los vecinos de este lugar en arrendamiento, y lo restante del año en los pastos comunes de este lugar». En cuanto al número de reses, dicen que los bueyes podrían ascender a 140, las yeguas a 18, las caballerías mulares a 35, unas 90 caballerías menores o asnales y 200 cerdos.

Cambiamos de tercio y pasamos a describir el Pedrosillo de 1752 en cuanto a habitantes, oficios, comercios, jornaleros, religión... Nos dicen que tiene 114 vecinos o 456 habitantes (el tema demográfico se tratará dos capítulos más adelante), incluidas viudas, jornaleros y pobres de solemnidad. Son 115 las casas de las que se compone el pueblo: 114 viviendas habitadas y una cerrada «por defecto de morador» que «pertenece a los herederos de Juan de la Iglesia». No hay casas de campo ni alquerías en todo el término. En lo referente a los propios que tenía el Común, es decir, las propiedades del Ayuntamiento, había una casa situada en el Barrio del Medio que servía para celebrar los concejos. Junto a ella se hallaba una carnicería y al lado, otra casa para fragua. Más adelante veremos más detalles acerca de estos inmuebles. En otra vivienda que poseía en el Barrio de la Iglesia residía un pobre vecino que no tenía con qué poder pagar la renta. También tenía un corral concejo donde se guardaba al ganado dañino y, por último, unos prados que se situaban en diferentes lugares del término, algunos de los cuales mantienen su nombre hoy en día como Praidones, Castriones y Salineras. El dinero que obtenía el Ayuntamiento con los arrendamientos de estas propiedades servía para los diferentes gastos comunes del pueblo, además de para pagar a los trabajadores públicos como el «fiel de fechos» (que hacía las veces de escribano), el predicador de la Cuaresma o el maestro de primeras letras.

No hay tabernas, mesones, tiendas ni panaderías y, aunque existían numerosos hornos, estos se encontraban en el interior de las casas y, por tanto, eran de uso propio. Por otro lado, sí que existía, como ya sabemos de los textos del siglo anterior, una «casa común, quarto» que llamaban hospital y que servía para recoger pobres, ya estuviesen sanos o enfermos. Eran cuatro las casas que le pertenecían, situadas todas en la calle de la Iglesia, daban a ella por el sur y lindaban con la casa de la iglesia y otra del concejo. Este hospital poseía también doce tierras de secano en el término municipal, y fue así durante muchos años hasta que se vendieron en 1807 y el importe que se obtuvo se repartió entre los pobres del pueblo «según costumbre, en las tres pascuas del año». No consta que hubiese ningún médico como tal, pero sí había un cirujano cuyo ejercicio costaba al año 90 fanegas de trigo y al que pagaban entre todos los vecinos. Los labradores, incluidos senareros, hacían un total de 53, a los que hay que añadir cinco jornaleros. Había un sacerdote que se llamaba Joaquín Ventura de Castañeda, que no tenía más «familia» que sus criados y que vivía en una casa de la calle de la iglesia propiedad de la parroquia. Según la información encontrada, el autor estima probable que esta casa que poseía la iglesia se encontrase junto al hospital y frente a la cilla, de la que hablaremos más adelante. Además, había un sacristán encargado de tocar las campanas a nublados y buenos temporales, el cual era también el «fiel de fechos» mencionado anteriormente. La lista de trabajadores la completaban tres guardas del campo, 17 vecinos arrieros que trajinaban con sus caballerías a lugares como Madrid y Plasencia, dos albañiles, dos zapateros, dos sastres maestros, dos herreros, seis tejedores de lienzo y estopa y un carretero. Por último, ocho pobres eran de solemnidad. El resto de los habitantes hasta completar los mencionados se desconoce a qué se dedicaban.

De estos oficios mencionados algunos eran muy comunes, y otros, no tanto. Por ejemplo, arrieros había en muchos pueblos, pero, junto con otros siete pueblos, Pedrosillo era uno de entre los que más se ejercía esta profesión. Lo comprobamos en los documentos históricos, donde se hacen numerosas referencias a hombres que transportaban mercancías a lomos de animales de ganado a distintas partes de la provincia y fuera de ella. En 1787 eran 18 los arrieros, lo que constituía un 19,7 % de la población trabajadora. Tan solo La Mata de Armuña, Palencia de Negrilla y La Vellés eran pueblos armuñeses con más arrieros que Pedrosillo. Es también destacable que en nuestro pueblo hubiese producción de lienzo y costales pues, exceptuando un taller de lienzo en Castellanos de Villiquera, no se conoce que se elaborara este tipo de productos en otros pueblos de La Armuña. Pedrosillo, junto con Villaverde y Torresmenudas, fueron los últimos pueblos de la comarca en los que se desarrolló este oficio.

Jurando decir la verdad aquellos que colaboraron en la elaboración de este escrito, finaliza el conjunto de respuestas al interrogatorio del Marqués de la Ensenada y nos da una muy buena idea, gracias a tan minucioso trabajo, de cómo era el pueblo y sus gentes hace más de dos siglos y medio.

Con la ayuda del trabajo de Ángel Cabo, podemos conocer cuál era el porcentaje del terreno dedicado a cada tipo de cultivo para todos los pueblos de La Armuña. Así, tenemos la oportunidad de conocer el uso del término municipal de Pedrosillo el Ralo a mediados del siglo XVIII. Vemos que la dedicación mayoritaria era ya la agricultura, pues el 94,4 % del término se destinaba al cultivo del cereal, era este exclusivamente trigo, a diferencia de otros pueblos en los que también se sembraba centeno y, de forma minoritaria, cebada. El 5,5 % era prado y el 0,1 % restante era herreñal, es decir, tierra dedicada al cultivo del herrén. De esta manera podemos cuantificar en forma de porcentajes aquello que venía recogido en el Catastro de Ensenada.

Continuamos con datos recogidos a la par de la elaboración del Catastro. En este caso se trata de los «propios que tiene el concejo de este dicho lugar». Comenzamos con las casas que había dentro del casco urbano:

> «Le pertenece una casa en el Barrio del Medio; que se llama de consistorio: se compone de cuarto bajo, tiene de frente trece varas y de fondo doce. Linda por levante con casa de Juan Marcos, ponente con otra de este concejo, norte con otra de Antonio González y por el mediodía con calle pública. Ídem otra casa en dicho sitio que sirve para la carnicería, tiene de frente siete varas, de fondo nueve, linda por levante y norte con las casas del concejo, poniente y mediodía con calle pública. Ídem otra en dicho sitio que sirve para la fragua y tiene de frente nueve varas, de fondo seis; linda por levante con casa de Antonio González, poniente y norte con calle pública y por el mediodía con la casa de este concejo que sirve de carnicería. Ídem otra en el Barrio de la Iglesia que se sirve un pobre de solemnidad de ella, tiene de frente nueve varas y de fondo seis, linda por levante con la casa quemada que es de la capellanía del polo, poniente y norte con casa de Catalina Rodrigo y por el mediodía con calle pública». De la casa de Antonio González, labrador del pueblo, sabemos que: "se compone de cuarto bajo, caseta y corral, tiene de frente ocho varas y de fondo ocho varas, linda por levante con pajar de Catalina Ruano, poniente con fragua de este lugar, norte con calle real y mediodía con Casa de Concejo"».

El pajar de Catalina del Teso Ruano, viuda y labradora del pueblo, «tiene de frente cuatro varas y de fondo ocho, linda por levante con calle real, poniente con corral de Antonio González, norte con dicha calle y mediodía con corral de los herederos de Miguel Herrero». De la casa de Juan Marcos (una de las tres que poseía este arriero pedrosillano) conocemos que: «Se compone de cuarto bajo, pajar y corral, tiene de frente dieciséis varas y de fondo otras tantas, linda por levante con calle que sale a la Plaza, poniente con Casa de Concejo, norte otra de Antonio González y mediodía con calle de dicho barrio».

A continuación pasamos a la descripción del corral de concejo:

> «Ídem un corral que sirve al concejo para recoger los ganados que andan a mal recado haciendo daño por los sembrados y para el gobierno de la carnicería, tiene de frente diez varas y de fondo veintitrés y está en dicho Barrio del Medio, linda por levante con cortina de Catalina González vecina de este lugar, poniente con corral de la casa de Pedro García González, norte con calle pública y por el mediodía con el de la casa que vive José Benito. Y dichas casas y corral, no tienen utilidad porque sirven al concejo». Por último, conocemos cuáles eran los prados para pastos que poseía el concejo: «Ídem un prado que llaman Los Praidones que hace cuatro huebras de tercera calidad, linda por levante con tierra del Beneficio de este lugar, poniente con otra de las monjas franciscanas de Salamanca, norte con otra del Conde Mora, y por el mediodía con camino real que va de este lugar al de Pajares. Ídem otro a la Guadaña que hace una cuarta y es de tercera calidad […] Ídem otro en dicho sitio y llaman el Corco, que hace una cuarta de segunda calidad […] Ídem otro en dicho sitio que llaman el Perdido […] Ídem otro que llaman el Roso […] Ídem otro a los Castriones […] Ídem otro a los Salinares […]».

En total eran 12 prados. También le pertenecieron algunas tierras y prados del término de Pedrosillo a los comunes de Salamanca y Castellanos de Moriscos.

En 1753 el obispo de Salamanca entonces, don Joseph Zorrilla de San Martín, visita Pedrosillo y deja constancia de la revisión que lleva a cabo tanto del patrimonio como de las cuentas de la parroquia. Estas siete páginas resultan bastante enriquecedoras y nos sirven para completar las respuestas del Catastro de Ensenada del año anterior. En este documento queda registrado que se manda embaldosar el suelo de la iglesia y la sacristía con pizarra de Mozárbez, se pide comprar tela para el púlpito, se manda colocar un evangelio de San Juan en cada uno de los altares, etc. Se visitaron las cuatro capellanías existentes en el pueblo: una fundada por don Antonio del Teso, con carga de 17 misas rezadas en cada año; otra fundada por María Laso, con carga de dos misas rezadas cada semana; otra fundada por Juan de Armenteros, con carga de una misa cada semana; y la última fundada por María Alonso, con carga de tres misas a la semana. No fue solo el señor obispo a revisar cuentas y bienes, sino que dejó una serie de mandatos relativos a la labor de los beneficiados del pueblo en los años sucesivos. Mandó al beneficiado que explicase la doctrina cristiana a sus feligreses de forma clara y perceptible, no solo en las pascuas y domingos del año, sino también en todos los demás festivos de precepto y, principalmente, en el Adviento y la Cuaresma. También se les ordenó a aquellos que fueran a casarse que no se les permitiese entrar uno en la casa del otro ni se estableciese ningún tipo de comunicación sospechosa hasta que hubiesen recibido el Santo Sacramento del Matrimonio, ni que lo recibiesen hasta que estuvieran plenamente instruidos en la doctrina cristiana. Que no se le permitiera entrar a la iglesia, especialmente si se estaban celebrando los divinos oficios, a persona alguna con gorro, redecilla o pelo atado. Que, embaldosada la iglesia, sus mayordomos cobraran una parte por cada sepultura abierta y que se cerrara la pila bautismal y se arreglara con una buena puerta. Estas son las órdenes más importantes que dejó el obispo de Salamanca para los clérigos y feligreses de la parroquia de Pedrosillo.

Avanzamos unos años, hasta el 20 de junio de 1769, para conocer unos autos mediante los cuales se nos informa de que los albañiles Manuel Rivera, maestro principal, Pedro Hernández y José Mulas son los encargados de las obras y reparos que se han de ejecutar en las casas consistoriales de Pedrosillo. Estas casas pertenecían al concejo y cumplían diversas funciones, como acabamos de ver hace unas pocas líneas. Volvemos a hablar de aquella casa que se utilizaba como consistorio y contaba además con una carnicería. Se indica que se debe demoler la parte de esta que mira al poniente para, posteriormente, volverla a construir, además de arreglar la pared de la puerta y cubrir de cal todas ellas. El consistorio debía contar con una portada de cantería, una puerta en ella que tendría una pequeña ventana y un cuarto nuevo que se levantaría con nuevas paredes con cimientos de piedra. La pared de la puerta de la fragua y el tejado necesitaban ser arreglados. Otra pared se requería que se hiciese nueva. Había que construir, también para la fragua, una campanita y una chimenea. El corral de concejo también debía de ser reformado de forma importante: construir una pared de trece pies de largo y seis de alto y hacer la puerta nueva. Por último, se debía adecentar el tejado y las paredes de la panera del depósito y la casa que ocupa el guarda del campo.

La noticia más antigua hallada por el autor en un periódico en la que se menciona al pueblo tiene fecha del 16 de septiembre de 1794. Se trata de un aviso de pérdida publicado en el *Semanario erudito y curioso de Salamanca*, número 105, que dice así: «Quien hubiese encontrado una Baca de pelo roxo recien esternerada, sin señal ninguna en las orejas, bastante parrada, yendo camino de Toro á Castellanos el dia 12 del presente mes, acuda á Juan Garcia, vecino de Pedrosillo el Ralo, quien dará su hallazgo». En los siglos siguientes también encontramos noticias en periódicos de Salamanca en las que se notifican extravíos de reses en Pedrosillo, sobre todo bueyes y vacas.

Por último, avanzamos hasta el siglo XIX, donde comenzamos con una sentencia algo tétrica. Desgraciadamente la historia de los pueblos está salpicada de crónicas sobre robos, altercados, disputas, peleas y otros hechos deleznables. En este caso no se pone el foco de atención sobre el crimen o el delito, sino sobre las consecuencias de esos actos. El 9 de enero de 1802 encontramos una sentencia contra unos delincuentes juzgados en consejo militar. Pertenecían a una serie de bandas que cometían toda clase de tropelías y altercados contra casas, iglesias, etc. Dos de estos malhechores, Antonio López y Joaquín del Moral, fueron condenados de la manera más severa posible por sus fechorías en numerosos pueblos de Salamanca y Ávila. Los dos criminales fueron descuartizados y sus miembros fueron expuestos en aquellos pueblos donde sus delitos fueron más graves. Tres de esos pueblos eran armuñeses y uno de ellos fue Pedrosillo. Estas bandas fueron muy abundantes y actuaron de manera muy notable en muchos pueblos de La Armuña.

Como venimos comentando, Pedrosillo es un pueblo atípico en cuanto a su estructura urbanística. No se ajusta al patrón común de los pueblos de buena parte de nuestro país, en los que la iglesia se halla en el centro y varias calles parten hacia afuera de forma radial. Ya desde sus orígenes debió de ser un pueblo peculiar, pues incluso su nombre da cuenta de cómo es la disposición de sus casas. A través de los testimonios recogidos en 1752 se puede intuir que la estructura de Pedrosillo es similar a la que hay hoy en día, pero quizá fuese algo diferente en torno a la iglesia. Se cuenta entre los lugareños que antiguamente este pueblo se agolpaba en torno a la iglesia. Si esto fuese así, desde luego debió de ser hace varios siglos, puesto que no hay vestigios de ningún tipo. Algunos matizan esta leyenda diciendo que quizá no todo el pueblo, pero que al menos habría habido bastantes más casas cercanas a la iglesia y que, por obra de las tropas de Napoleón, estas habrían reducido a cenizas gran parte de ellas. No sabemos si esto fue cierto, aunque desde luego un hecho así habría dejado constancia en algún escrito y, al menos en los textos que han sido consultados, no se hace ninguna referencia a ello. Parece también ciertamente improbable que algo así hubiese sucedido y que, sin embargo, la iglesia no hubiese sufrido ningún desperfecto. Leyenda o no, dejamos constancia de ello para reflejar parte de la tradición oral transmitida durante generaciones.

Al igual que en el siglo anterior, en este también se realizan numerosas visitas por parte del obispo cada ciertos años. La primera de ellas es la de 1815, llevada a cabo por el obispo de Salamanca Fr. Gerardo Vázquez. Nuevamente se revisan las cuentas de la parroquia, así como sus bienes, y se decreta una serie de mandatos, por cuyo cumplimiento el párroco de Pedrosillo deberá velar. El primero ordena al señor cura párroco que explique todos los días de fiesta a sus feligreses la doctrina y los misterios de la religión cristiana. Después se le recomienda que haga frecuentes visitas a los enfermos y les haga las más oportunas reflexiones y les proporcione todos los auxilios y consuelos posibles. A continuación, se le pide que mande a sus feligreses santificar las fiestas y que estos se impliquen en obras de piedad y religión asistiendo al rosario y los oficios. También se le indica al párroco que promueva la buena y cristiana educación de la juventud, de la que depende la prosperidad del reino. Por último, se indica que los feligreses deben cumplir religiosamente las últimas voluntades dejadas en los testamentos, puesto que se ha notado bastante morosidad, y se deberá poner fin a estas prácticas o por consiguiente se procederá al embargo de diversos bienes.

Tanto a principios como a mediados de siglo nuevamente volvemos a encontrar información descriptiva sobre nuestro pueblo. Dada la menor longitud de estos, vamos a analizar los textos íntegros que nos hablan sobre Pedrosillo el Ralo algo menos de un siglo después de que se escribiera el Catastro. Comenzamos con el *Diccionario Geográfico-Estadístico de España y Portugal* de Sebastián de Miñano y Bedoya publicado en varios tomos entre 1826 y 1828. Esto es lo que se cuenta en el tomo IV donde aparece nuestro pueblo:

«PEDROSILLO-RALO, Lugar Realengo de España, provincia, partido y obispado de Salamanca, cuarto de Armuña. Alcalde Pedáneo, 124 vecinos, 493 habitantes, 1 parroquia, 1 ermita extramuros, junto a la cual hay una buena alameda. Situada en una llanura: tiene una buena fuente, pero generalmente usan el agua de los pozos. A la parte del Nordeste hay una gran laguna que le hace mal sano; clima templado y húmedo. Produce trigo, cebada, garbanzos, y demás legumbres. Industria: telares de lienzo, costales y picotes. Dista 3 leguas de la capital. Contribuye 4,523 reales 27 maravedises».

El siguiente texto, escrito algunos años después, es bastante similar, aunque algo más extenso. Esta es la transcripción exacta de lo referente a nuestro pueblo en el *Diccionario geográfico-estadístico histórico de España y sus posesiones de ultramar*, desarrollado por Pascual Madoz Ibáñez entre 1834 y 1850:

«PEDROSILLO EL RALO: Localidad con ayuntamiento en la provincia, diócesis y partido judicial de Salamanca (3 leguas), audiencia territorial de Valladolid y capitanía general de Castilla la Vieja. Situado en la carretera de Valladolid sobre terreno fangoso con unas pequeñas cuestas al Sur y al Este. El clima es frío y mal sano, en razón a los efluvios que arroja el agua de una laguna que tiene muy próxima la población. Se compone de 62 casas de mediana construcción; una escuela de primeras letras poco concurrida; iglesia parroquial (San Andrés) servida por un cura de segundo ascenso de provisión ordinaria, y un cementerio que en nada perjudica a la salud pública. Confina el término por el Norte con el despoblado de Armenteros; Este con Villaverde; Sur Gomecello, y Oeste con La Vellés. El terreno puede dividirse en primer, segunda y tercera calidad, comprendiendo todo unas 4,484 huebras de tierra. Los caminos además de la carretera de Valladolid, hay otros que conducen a los pueblos inmediatos, en mal estado. El correo se recibe de la capital de la provincial. Producción: bastantes cereales, especialmente trigo rubión y varias semillas; hay ganado lanar, vacuno y cerdoso, y caza menor. Población: 47 vecinos, 189 almas. Riqueza producción: 405,186 reales. Imponible.: 47,609».

Desde luego, el panorama que se nos muestra aquí resulta desalentador. A diferencia de los anteriores escritos, nuestro pueblo no recibe tan buenas palabras en este. Esto podría deberse a una mala época por la que estuviese pasando el pueblo o, simplemente, a que el visitante que escribió esta reseña se desplazase hasta el pueblo en una época desfavorable meteorológicamente, lo que explicaría las palabras «clima frío y mal sano», «terreno fangoso» o «caminos [...] en mal estado», pues, aún hoy en día, estas son algunas características del pueblo y sus alrededores durante la parte más dura del invierno. El número de casas desciende en 53 con respecto a lo recogido en el Catastro de la Ensenada. Con relación a la producción agrícola, no encontramos mucha diferencia, pero ni esta ni la ganadera se detalla con precisión. Esta escuela de primeras letras, que en ese año indican que está poco concurrida, no sabemos desde cuándo existe en Pedrosillo, aunque sí encontramos referencias más antiguas a ella, por ejemplo, en un documento de 1791 en el que el maestro de la escuela Dionisio Martín pide al obispo que se ayude a aquellos pobres de solemnidad que no pueden pagar sus estudios y por tanto no pueden acceder a la escuela. Afortunadamente la súplica de este maestro de Pedrosillo surte efecto, pues, dos meses después de esta carta, el Obispado de Salamanca le responde diciéndole que se destinará provisionalmente parte del dinero que se da cada año a la parroquia del pueblo a la escolarización de estos niños pobres con la condición de que acudan con puntualidad a la escuela.

El domingo 27 de abril de 1845, aparece en el *Semanario de Avisos de Salamanca*, número 25, la noticia más antigua del siglo XIX hallada por el autor. En él se anuncia que «a voluntad de su dueño, se vende una huebra de tierra en Pedrosillo el Ralo; en la escribanía de Bellido se da razón de su procedencia, producción y demás». Cuentan que en la misma escribanía también se venden unas tierras del término de Aldearrubia y de La Vellés.

El 22 de octubre de 1867 el alcalde de Pedrosillo, Juan José Prieto, declara en un escrito cuál es el sello que usa el Ayuntamiento del pueblo. El texto dice tal que así: «En esta municipalidad no ha habido ni hay más sello para el Ayuntamiento y Alcaldía que el que ha arriba estampado, y se ha usado desde el año de 1840». En esta imagen se puede ver el mencionado sello.

Avanzamos algunos años para conocer una curiosa historia que tuvo lugar en Pedrosillo cuando corría el año de 1884. Por entonces, era párroco del pueblo don Ángel Castro y es su sobrino el que relata esta anécdota en el periódico *El Castellano*. Él estudiaba el primer año de medicina en Salamanca y muchos sábados, terminadas sus

Sello del Ayuntamiento en 1867

últimas clases, iba caminando hasta Pedrosillo para ir a ver a su tío. Uno de esos sábados, a pocos días de empezar la Cuaresma, el párroco le confesó a su sobrino que no se encontraba con fuerzas para predicar. Este le sugirió que podía traer a uno de los frailes de Santo Domingo para dar misa, pues era algo nuevo que podría gustar. Al párroco le pareció buena idea y al lunes siguiente regresaron a Salamanca para ir al convento y exponerle la propuesta al prior. Este no tuvo inconveniente, pero les dijo que eran tantos los compromisos que tenía con diferentes pueblos que solo podía proporcionarles un fraile francés, el cual no sabía apenas nada de español. El sobrino del párroco le comentó al prior que los vecinos de Pedrosillo no andaban muy puestos con el idioma francés. Aun así quisieron ver al fraile y se encontraron con un hombre de mediana altura, treinta y pocos años, delgado y con unos ojos azules muy expresivos. Trataron de explicarle la idea, pero fue muy difícil la comunicación. Ya se iban a rendir cuando el fraile francés les pidió que lo dejasen participar, y les aseguró que, en los veinte días que quedaban, iba a estudiar y trabajar para mejorar su español y así ganarse a sus feligreses. El párroco aceptó y su sobrino quedó en entablar conversaciones con él después de sus clases para que fuese ejercitándose con el idioma. Fueron tal su empeño y sus ganas que, al cabo de esos veinte días, ya hablaba bastante bien nuestra lengua. Llegó el día y marcharon los dos para Pedrosillo. Después de escuchar los sermones que dio, el sobrino del párroco dijo que estos habían sido tan hermosos y tan grandilocuentes que no había escuchado nunca nada mejor en su vida. El fraile también disfrutó mucho y cogió tanta confianza que quiso empezar a dar conferencias en la universidad. Es muy satisfactorio saber que una historia tan interesante de superación y tesón tuviera lugar en nuestro sencillo pueblo.

De ese mismo año también disponemos de información acerca de Pedrosillo y de los oficios que allí se desarrollaban. Nos dicen que es un lugar de 276 habitantes situado a 16,6 kilómetros de Salamanca. Su párroco es Ceferino Ramos, y su profesor de instrucción pública, Saturnino González Esteban. Había un albardero, un herrero, un panadero, dos posaderos, dos sastres, cuatro tejedores, un veterinario, dos zapateros, dos encargados de transportes, otro del molino de harina y otro de un ultramarinos.

La historia de los pueblos y ciudades tiene sus claros y sus sombras y, como estamos viendo, Pedrosillo no es una excepción. En la parte de las sombras encontramos una constante a lo largo de los siglos: las epidemias de enfermedades infecciosas. Antes de que se desarrollaran los avances médicos de los que disfrutamos hoy en día, estas eran bastante frecuentes. Además, debido al impacto tan devastador que causaban, podemos encontrar exhaustivos registros de las consecuencias que tuvieron desde tiempos inmemoriales. Algunas de ellas afectaron gravemente a la población de Pedrosillo, como la que tuvo lugar en la penúltima década del siglo XIX: la epidemia de cólera de 1885. Esta enfermedad infecciosa tuvo su primer brote en la India en 1817 y en España hubo varios a lo largo de este siglo y del siguiente. Es la epidemia de 1885 la que afectó de lleno a las zonas del interior y, desgraciadamente, La Armuña fue una de las comarcas que más fuertemente sufrió los efectos del cólera morbo transmitido por el bacilo *Vibrio cholerae*. Fueron 173 los fallecidos a causa de esta enfermedad y, aunque Pedrosillo no fue de los pueblos más afectados (en La Vellés, por ejemplo, murieron 72 personas), fueron siete los pedrosillanos que perdieron la vida. Numerosos habitantes de algunos pueblos y de la ciudad de Salamanca tuvieron que huir y se trasladaron a otros lugares donde poder permanecer alejados de la epidemia. En Pedrosillo no parece que hubiese cundido el pánico demasiado pues si vemos los datos de población (abordaremos este tema dos capítulos más adelante), no hay cambios en el número de habitantes del pueblo en los años anteriores y posteriores a esta tragedia. Aun así, también pudiera ser que muchos marcharan y no tardaran demasiado en volver, pues afortunadamente solo pasaron siete meses desde la que se considera la fecha de inicio de este proceso hasta la fecha de finalización. Desde luego sí que observamos a través de los documentos históricos que se creó una verdadera alarma social durante esta epidemia de cólera que fue mayor que en las anteriores y posteriores.

En el censo de 1889 de la parroquia de San Andrés, podemos conocer con gran precisión el número de vecinos que había en el pueblo por cada calle, lo que nos permite saber cuáles eran los nombres de estas hace más de un siglo: Iglesia, el Medio, la Laguna, plaza Grande, Arriba, Arrabal, Traviesa, Abajo, Ventorro y Fábrica de Harinas. Vemos que muchas de ellas coinciden también con los nombres de los barrios que figuran en el Catastro de la Ensenada un siglo antes. La calle con menos habitantes era la calle Ventorro, en la que tan solo vivía un matrimonio. Por el contrario, la más habitada era la calle de Abajo, con 43 habitantes repartidos en 11 viviendas, algunas formadas por hasta seis miembros de una familia, mientras que otra solo estaba habitada por un hombre viudo. La media de edad era bastante inferior a la actual y figuraban Baltasar García, labrador, como el habitante más longevo del pueblo, con 81 años, el cual murió al año siguiente. Algunos de los apellidos más frecuentes que aparecen son García, Fernández, Carbayo, Pierna, Martín, Porteros, Pedraz o Esteban. Este censo refleja con gran detalle algunos aspectos de la vida de los habitantes, como en cuántas nupcias está casado un determinado hombre, en qué ciudad o país se encuentran algunos antiguos vecinos, si alguien ha sido condenado por un delito y se especificaban el número de años de cárcel e, incluso, cuántos años llevan ciertos habitantes sin cumplir con la Iglesia.

El 12 de marzo de 1890 encontramos una asombrosa noticia que bien puede haber sido una errata periodística. En el número de ese día de *El Adelanto* se dice lo siguiente: «Por la guardia civil de Pedrosillo el Ralo, ha sido puesto á disposición del juzgado, el vecino de Ledesma Pelegrín, Hernández, por encontrarle con gran cantidad de pesca».

¿Quiere eso decir que existía en esa época un cuartel de la Guardia Civil en Pedrosillo? Bien pudiera haberlo habido, aunque resulta sorprendente, dado que no hay ningún tipo de información al respecto. Sin embargo, *El Nuevo Progreso* se hace eco de la misma noticia de manera muy diferente: «La Guardia Civil del Pedroso ha puesto á disposición del Juez municipal de Pedrosillo el Ralo un pescador y la mercancía que vendía, consistente en cuatro arrobas de peces». No sabríamos decir con certeza cuál es la noticia correcta, pero, desde luego, parece más plausible la segunda de ellas, de modo que el infractor, que debería de estar en posesión de grandes cantidades de peces robados, habría sido detenido en El Pedroso de la Armuña y habría pasado a disposición judicial en Pedrosillo el Ralo.

Puesto que el año 1900 pertenece al siglo XIX, terminamos este capítulo hablando sobre una inauguración de carácter educativo que tuvo lugar el día 1 de enero de dicho año. A iniciativa del párroco del pueblo, don Miguel Montero, se estableció en Pedrosillo una escuela de adultos que un mes después contaba con cuarenta alumnos. Además, también comenzó a funcionar una escuela dominical, donde acudían a instruirse «los días festivos y los de mercado cuantas jóvenes lo tienen a bien, a las cuales procuran imponer en las principales materias que abarca la primera enseñanza».

HISTORIA RECIENTE

En el año 1904 tiene lugar otro capítulo triste en cuanto a enfermedades que afectaron gravemente a la población del pueblo. Hablamos de una epidemia de viruela, enfermedades palúdicas, sarampión y angina diftérica con lamentables consecuencias para los pedrosillanos. Durante todo ese año aparecieron noticias en los periódicos de este triste suceso que también afectó a otros pueblos como Aldehuela de la Bóveda, Palaciosrubios y Ciudad Rodrigo. En marzo, en Pedrosillo, habían fallecido dos niños y otras dos personas se encontraban afectadas, una de ellas grave. Los niños eran Nicolás Alfaraz y Julián Manzano, de tan solo cinco y tres años. A finales de dicho mes, la Junta Municipal de Sanidad se reúne para adoptar las medidas necesarias de precaución y aislamiento que el caso requería. En mayo se toma otra medida para paliar la propagación de estas enfermedades y es anunciado por el alcalde de Pedrosillo en el Boletín Oficial. En él se pide a los vecinos interesados que procedan a la limpieza del canal Las Traviesas a fin de practicar el desagüe de la charca del pueblo. Nuevas medidas se acometen en agosto para mejorar las condiciones higiénicas del pueblo y poder poner fin a esta lacra. Estas consistían en conceder un plazo a los vecinos para que efectuaran detenidamente la limpieza de sus casas, limpiar los desagües y cegar los pantanos, sacar del pueblo todos los depósitos de basura y comenzar el empedrado de las calles. También se insta a que en el centro de la plaza grande el siguiente invierno se planten algunos árboles. Aunque en septiembre tienen lugar otros tres casos de epidemia variólica, después de este hecho afortunadamente no encontramos más menciones acerca de afectados por estas enfermedades, por lo que la epidemia debió de cesar poco tiempo después.

Dos hechos relevantes para Pedrosillo tuvieron lugar en 1912. El primero tiene que ver con la lluvia, pues, si hay algo que ha sido siempre característico de La Armuña y, por extensión, de toda Castilla y León, son tanto las duras y prolongadas sequías como las grandes tormentas y fuertes aguaceros. La noticia que nos atañe habla de este segundo tipo de fenómeno meteorológico.

Un terrible temporal azotó la provincia de Salamanca durante los primeros días del mes de febrero de este año. El río Tormes aumentó considerablemente su caudal. La gente no se atrevía a salir a la calle debido al fuerte ventarrón que recorría las calles y que hacía perder el equilibrio a los valientes que se aventuraban a salir. Volaron tejas, cristales, persianas e incluso hubo destrozos en cables telefónicos, chimeneas y farolas de alumbrado público. El periódico del 8 de febrero cuenta que en La Vellés y Pedrosillo el agua alcanzó considerable altura y causó grandes daños en los sembrados. Lejos de amainar el temporal, la situación debió de empeorar, pues en el periódico del día siguiente se habla de varios heridos e incluso de varios pueblos incomunicados por anegarse los caminos y las carreteras. Cuatro de esos pueblos eran armuñeses y entre ellos estaba Pedrosillo, al que ni siquiera pudieron acceder los carteros a pie.

Ese mismo año, el 11 de septiembre, los pedrosillanos recibieron en el pueblo la presencia de dos grandes figuras de la monarquía española y alemana. Hablamos de Luis Fernando de Baviera, Infante de España y Príncipe de Baviera, y su mujer María de la Paz de Borbón, hermana de Alfonso XII, tatarabuelo del actual rey de España, Felipe VI. Tras asistir a una corrida de toros, salieron en coche hacia Pedrosillo y llegaron a las cinco y media de la tarde acompañados del cónsul de España en Múnich y, el capitán del Estado Mayor, entre otras autoridades. En nuestro pueblo, los príncipes pudieron descansar y aprovecharon para tomar un té y presenciar algunos bailes típicos salmantinos. Antes de marchar del pueblo y poner rumbo a Salamanca, su siguiente parada, el sacerdote que regentaba la parroquia en aquella época despidió a los príncipes y los llenó de elogios y cumplidos. Debieron de estar algo menos de media hora, pues a las seis de la tarde se los esperaba en Salamanca. No sabemos por qué escogieron los príncipes este lugar para descansar en su viaje, pero, aunque no pasaron mucho tiempo en Pedrosillo, es un hecho memorable que unos miembros tan importantes de la monarquía (eran sobrino e hija de Isabel II) quisieran parar a descansar en nuestro humilde pueblo.

El domingo 24 de octubre de 1920 se celebra en La Vellés una asamblea de pueblos del partido de Salamanca. El motivo de esta reunión fue el deseo de convenir una acción conjunta y unánime frente a las nuevas medidas de contratación de los servicios médicos rurales anunciadas por la Asociación Médica de este partido. Centenares de personas de 16 pueblos armuñeses se reunieron a las tres de la tarde en la escuela de niños del mencionado pueblo. Numerosos fueron los intervinientes que expresaron su descontento con esta situación, entre ellos el alcalde de La Vellés, un profesor veterinario de esta localidad y don Evaristo Martín Beluche, secretario de Pedrosillo, a cuya memoria está actualmente dedicado el pilón del pueblo. En su turno de palabra, Evaristo quiso proclamar la necesidad de obrar, «porque son necesarios hombres hormiga», y defendió la autonomía y la libertad conveniente y necesaria de los pueblos. Indicó que, como funcionario público, se debía a su municipio obrando con nobleza y valoró muy positivamente la labor de los médicos, así como la de los sacerdotes y los maestros, pues «son los cauces del destino de los pueblos». Expresó su decepción con la circular emitida por la Asociación Médica, pues esta invadiría competencias ajenas y privaría a los pueblos de libertad. Por último, valoró muy positivamente la campaña unida que estaban llevando a cabo La Vellés y Pedrosillo para luchar contra estas imposiciones y cohibiciones profesionales. Terminó con entusiastas vivas a la autonomía de los pueblos y estas fueron contestadas unánimemente.

Hacemos un breve paréntesis en la historia de Pedrosillo para leer una hermosa poesía que dedica un pedrosillano con las siglas E. M. B. a la memoria de su esposa fallecida el 1 de noviembre de 1913:

> ¡Teresa de mis amores!
> ¿A quién pregunto por ti,
> si yerta y fría te vi
> en el lecho del dolor?
> ¿A quién de acá si volaste
> entre liras y laúdes
> en alas de tus virtudes
> a la mansión del amor?
>
> ¿A quién si Dios te llevó
> a su seno cariñoso
> al librarte bondadoso
> de aqueste destierro vil?
> ¡Si Él te sacó de este valle
> y te llevó con su mano
> cual amoroso hortelano
> a su frondoso pensil!
>
> ¿A quién mejor preguntar
> que a Dios, que calma y serena
> de mi alma la amarga pena?

A ese sempiterno Dios
que en su justo parecer
dispuso, una vez nacidos,
que viviésemos unidos
en dulce lazo los dos.

Ya imagino yo escuchar
su voz que dice potente
«Teresa la dicha siente
de este santo bienestar;
ya está conmigo en la gloria
pidiéndome que hacia el cielo
llame a los que allá en el suelo,
un día le hice dejar.

Si en tu corazón Teresa
tres duros clavos llevabas
por tres hijos que dejabas
navegando en este mar
sin otro amparo y refugio
que mi cuidado y desvelo,
cesa, amada, en tus anhelos;
yo te los he de guiar.

Y si su frágil barquilla
quedase ¡Dios no lo quiera!
sin mano que dirigiera
su vagabundo timón
tienda su manto María,
por hijos los ha tomado
y los llevará a tu lado
al puerto de salvación.

Ruega al Señor por tu madre
que en el mundo te dio vida,
ruega por la grey querida
que de ti va siempre en pos,
ruega a Dios por quien vivió
catorce años a tu lado

que los ojos te ha cerrado
y te da el último adiós.

Adiós hasta que el Señor
nos llame con voz amable
a esa vida perdurable
de dulce contemplación.
Adiós hasta que los vientos
pujen nuestra navecilla
hacia la apacible orilla
de la divina Sión.

Una fecha memorable para el pueblo es el 4 de junio de 1922, cuando fueron inauguradas las escuelas para niños y niñas, cuya construcción pudo ser llevada a cabo gracias a la donación que figuraba en el testamento del vecino Bernardo García Romo. Este pedrosillano donó póstumamente 16 000 pesetas para la construcción de «un grupo de escuelas con arreglo a las más exigentes condiciones pedagógicas y modernas». Unos años después se llevó a cabo la fundación de trece misas anuales en honor a este modélico habitante de Pedrosillo. Otra gran cantidad de vecinos contribuyeron de manera altruista y recogieron unas 1000 pesetas. Además, la mujer de Gabriel Pérez, dueño de la fábrica de harina del pueblo, donó generosamente otras 500 pesetas. Todo un ejemplo de cooperación y generosidad por parte de un pueblo que quería la mejor educación para sus niños.

Las obras se licitaron dos años atrás y en diciembre de 1920 se empezaron a construir. Muchos de los materiales necesarios se trasladaron desde la estación de tren de Gomecello. Las escuelas, de una planta y hechas de piedra franca, contaban con dos departamentos divididos de niños y niñas. Se inauguró también el frontón de pelota de piedra sillería que se levantó junto a las escuelas y el cual fue disfrutado por los pedrosillanos durante 71 años. Tres partidos tuvieron lugar ese día y fueron los equipos de Aldearrubia, San Morales, Huerta, San Cristóbal, Vadillo de Guareña y, cómo no, de Pedrosillo, entre otros pueblos, los primeros en estrenar el nuevo frontón del pueblo. En el centro de la parte superior de esta imagen podemos ver las escuelas 23 años después de su inauguración y la sombra del frontón situado a su derecha. En la parte de abajo de la imagen se puede ver la misma zona en la actualidad. Se aprecia que los terrenos en los que se asentaban las escuelas y la pista del frontón corresponden hoy en día a la unidad de urgencias y al centro de salud, respectivamente. Además de esta inauguración, se puso el nombre de Diego Martín Veloz, diputado a Cortes e hijo del pedrosillano Andrés Martín García, a la calle principal del pueblo. Fue un hombre muy conocido en La Armuña y su labor como diputado estuvo enfocada a favorecer los intereses de Salamanca y su provincia. Tal fue el agradecimiento que el 15 de abril de 1923 los alcaldes de varios pueblos armuñeses, entre los cuales se encontraba el de Pedrosillo, decidieron otorgarle el título de Hijo Predilecto de La Armuña a modo de reconocimiento. Su presencia en Pedrosillo fue notable, pues poseía la alquería de Cañadilla, muy cerca de Pedrosillo, en el término de Villaverde, y solía ir con frecuencia a La Vellés.

Escuelas y frontón (superior) y misma zona en la actualidad (inferior)

Él y su esposa donaron la última parte del dinero necesario para terminar de pagar las obras del centro educativo de nuestro pueblo. La inauguración de este centro fue acompañada de numerosos actos y celebraciones, como nos cuenta una noticia a tres columnas en *El Adelanto* del 5 de junio de 1922, a los que acudieron muchas personas del pueblo y de otros de alrededor, como Gomecello, Tardáguila o Villares. Entre ellos, políticos, sacerdotes, periodistas, empresarios… así como el ilustre maestro del pueblo don Cesáreo Pardal, el alcalde don Gervasio Pérez, el secretario don Evaristo Martín y el juez municipal don Atanasio Tardáguila. Importante fue la misa que ofició el párroco don Abdón Segurado, asistido por los párrocos de Pajares y Villaverde. Estos tres sacerdotes fueron los encargados de bendecir los locales de las nuevas escuelas. Numerosas autoridades tomaron la palabra y se dirigieron a los allí presentes. Se habló de los cimientos sociales de la época, que eran la Iglesia y la escuela, y de que los niños debían aprender a ser buenos además de sabios. El señor Martín Veloz habló también en su intervención acerca de la estrecha relación que existía entre la religión y la patria, además de recordar todo aquello que le había aportado como persona su primer maestro rural de La Vellés y exaltar la gran labor que realizan por la sociedad los maestros de escuela. Estos actos se vieron ligeramente perturbados por la llegada de la lluvia. Aun así, esta fue bien recibida, pues las gentes anhelaban la ansiada agua de lluvia que pondría fin a la grave sequía que tenía lugar en esa época. A continuación se pueden leer los hermosos párrafos que se dedicaron a este hecho en la misma página del periódico:

«Tardía y perezosa el agua ha caído pródiga y sutil sobre los campos secos y los plantíos que amarilleaban de tristeza; lluvia de primavera, fina y optimista que vence la sequedad más fuerte y reblandece y esponja la costra calcinada, resquebrajada por una prolongada sequía; lluvia, menuda e invisible, que ha puesto en el ambiente un rasgo de esperanza.

Porque ha disipado con su gris cortinaje la visión de trojes vacías, de graneros exhaustos, de inviernos duros; así el cielo, plomo y lágrimas, ha volcado sobre La Armuña una bendición de Dios que llenará las paneras y hará más alegres, más optimistas las fiestas pueblerinas.

Virtud de alegría es la lluvia que al espíritu de mis armuñeses es premio de días azarosos y cauce de redención y alientos de valentía, en su eterno sufrir sudando sobre la tierra fértil, que sólo recibe la fecundidad de estos hombres duros, sobrios, fuertes…

Y ayer en Pedrosillo también un riego de espíritus, no menos resecos y calcinados que la tierra, han recibido el beso de una frescura de ideal, en lluvia de cultura, de esperanza y de patria que esponja las almas y siembra nobles sentimientos, que se traducirán en cosechas pródigas de ideas de redención y de optimismo.

Ha plantado su oasis de altruismo un nombre en Pedrosillo, que tradujo la soledad de su vida en frutos sazonados de amor a los suyos, para que le bendigan después de su muerte, encendiendo silenciosa y modestamente la luz de la emoción y del ideal.

Al inaugurar un grupo escolar magnífico y sencillo, al bendecir ese santo tempo de cultura, al voltear el subsuelo del alma rural, para que la atmósfera del sentir y del saber y del creer lo fecunde, se ha hecho un trozo de patria en los corazones y un injerto de progreso y vigor en los espíritus».

En el año 1924 se producen varios acontecimientos relevantes en Pedrosillo, de los cuales se hizo eco la prensa de la época. Uno de ellos es el acto que la Federación Católico-Agraria celebró en el pueblo el 7 de septiembre de dicho año. El inspector de la federación, don Jesús Felipe, ofició la misa que tuvo lugar por la mañana, en la que se bendijo una imagen de san Isidro, patrón de los campesinos. A las cinco de la tarde hizo su llegada al pueblo el presidente de la Federación, José L. de Clairac, que fue recibido con gran júbilo por multitud de gente de Pedrosillo y pueblos de alrededor mientras se dirigía al porche cubierto de la iglesia donde daría el mitin. También intervinieron don Jesús Felipe, inspector de los sindicatos, y don Abdón Segurado, párroco del pueblo, cuyo discurso puede leerse en el capítulo *Pedrosillanos ilustres*. Cuando hubo terminado el acto, el señor Clairac marchó del pueblo y recibió numerosas muestras de cariño y entusiasmo. La siguiente noticia de este año, aparece el 19 de abril en *La Voz de Castilla* y es realmente curiosa. En ella, un vecino del pueblo, hablando en nombre de varios vecinos de la calle de Arriba y la Plaza (al noreste del pueblo), se queja al consistorio y le solicita «que se digne vigilar la higiene un poquito más, que no se ocupan de los vecinos, y en lugar de beber agua, bebemos microbios, como lo estamos haciendo con el agua del pozo de la Plaza». Este vecino duda de la potabilidad de los dos principales pozos, de antigua usanza, que abastecen de agua al pueblo por aquella época: el de la Plaza y el de la Iglesia. Gran parte del mal estado de las aguas de estos pozos se debería al empleo de estas para lavar, fregar, abrevar ganados y hacer adobe, a pesar de estar prohibido. Dos soluciones se dan al respecto: bien cubrir, bien cegar los pozos y llevar hasta el pueblo el agua desde la fuente de Las Calverizas, certificada como buena por la Brigada Sanitaria de Salamanca. Al parecer, estas soluciones fueron tenidas en cuenta en algún momento, puesto que hoy en día estos dos pozos no tienen uso y el agua que abastece al pueblo procede de la fuente mencionada, de la cual volveremos a hablar más adelante.

En el *Anuario General de España* de 1927 podemos leer una pequeña descripción de Pedrosillo, su junta municipal y los nombres de los regentes de diversos comercios e industrias del pueblo. Comienza diciendo: «Lugar con Ayuntamiento de 495 habitantes de hecho y 387 de derecho a 14 kilómetros de la capital. La estación más próxima, Gomecello a 2 kilómetros. Carretera de Salamanca a Valladolid y de Gomecello a La Vellés, Fuentesaúco y Toro. Celebra fiesta el segundo domingo de Octubre. Su principal producción es garbanzos, lentejas y trigo». El alcalde era Manuel Esteban Carbayo, y el párroco, Abdón Segurado Ledesma. También contaba el ayuntamiento con un secretario, un juez municipal y un fiscal. En cuanto al sector industrial, encontramos albañiles, electricistas, herreros, molineros y tejedores. Había establecimientos como abacería, barbería, café, confitería, estanco, panadería y posada. Dos son las sociedades que figuran: Pósitos de Agricultores y

Sindicato Agrícola Católico de San Isidro Labrador. En el ámbito sanitario, Agustina Fernández era la comadrona, y Celedonio Daniel Bellido, el médico. Por último, la escuela para niñas corría a cargo de Vicenta Hernández, y la escuela para niños, de Cesáreo Pardal.

El 6 de febrero de 1929 se incluye en el Registro de Asociaciones de Salamanca el casino «La Lealtad», fundado ese año para asueto y disfrute de todos los vecinos. No se ha encontrado más información acerca de esta asociación ni de cuándo fue disuelta.

Algunos años después tiene lugar uno de los episodios más trágicos de la historia reciente de nuestro país: la Guerra Civil. Fueron muchos los armuñeses llamados a formar parte de las filas del bando nacional, y obligados a colaborar por la causa. Un total de 149 jóvenes son los que se tiene constancia que fallecieron en combate, alrededor de un 10 % de aquellos que marcharon. Estos años de cruentas reyertas y de cientos de miles de muertos de ambos bandos conforman una época funesta de la historia de las ciudades y los pueblos españoles. Entre tantas desdichas ponemos a Pedrosillo como ejemplo de lo contrario. Tan solo tres pueblos de La Armuña (Monterrubio de Armuña, Torresmenudas y Pedrosillo el Ralo) afortunadamente no registraron ninguna víctima mortal fruto de esta guerra. Entendemos que es muy probable que todos los pedrosillanos que marcharon para participar en esta contienda pudieron regresar a sus casas cuando esta hubo finalizado. Tampoco se conocen fallecidos derivados de las disputas ideológicas que tuvieron lugar durante esos años, a diferencia de algunos pueblos como Valverdón y El Pedroso de la Armuña, donde hubo brutales y sangrientos altercados.

En 1941, el ministro de Justicia franquista, Eduardo Aunós, ordenó a todos los Ayuntamientos de España que dieran cuenta de todas aquellas personas residentes de cada término municipal «que durante la dominación roja fueron muertas violentamente o desaparecieron y se cree fueran asesinadas». Este proceso llamado Causa General trató de averiguar aquellos fallecimientos derivados de la represión llevada a cabo por las autoridades o aquellos simpatizantes republicanos de izquierdas desde la instauración de la Segunda República en 1931. Aunque algunos autores dudaban de la objetividad de este proceso, lo que sí sabemos es que en ningún pueblo armuñés se registró ningún fallecido o desaparecido durante esta época. El 11 de julio de 1941, el alcalde de Pedrosillo, Tarcisio Polo, y el secretario, Bernabé García, firman y corroboran que no hubo ninguna muerte ni desaparición. Observamos en el sello municipal de la época las palabras «Ayuntamiento Nacional. Pedrosillo el Ralo» y en el centro el águila de san Juan.

Un gran número de nuestros mayores pedrosillanos nacieron en los años 30 y 40. Ellos nos cuentan cómo era su juventud en el pueblo. De pequeños iban a la escuela, que ya era mixta y contaba con un solo maestro o maestra. En su tiempo libre jugaban por la calle (haciendo alguna que otra «pifia»), pues, aunque la vida social entonces tenía lugar en el bar del pueblo, los niños tenían la entrada prohibida hasta los 14 años. Muchos se ponían a trabajar en el campo a la temprana edad de 12 años. Algunos vecinos nos dicen que les hubiera gustado seguir estudiando, pero por entonces la vida en el pueblo era así. Después los hombres marchaban a la «mili» y, a la vuelta, cuando ya eran considerados adultos, si era posible, se echaban novia para poder formar una familia. Para poder casarse había que pedir la mano de la novia al padre y, si aceptaba, hacían una comida para celebrarlo.

En 1945, después de una devastadora sequía, la laguna del pueblo se secó en su totalidad. Aprovechando esta ocasión, los vecinos ayudaron a su limpieza. Este fue un trabajo verdaderamente arduo, pues se realizó a mano, con palas, carros, bueyes y caballerías. A pesar de la dureza de este trabajo, que tuvo lugar durante los meses de agosto y septiembre, la gente no cesó en su empeño, pues el lodo que extraían era un excelente abono para las tierras. Con motivo de esta sequía, muchos de los pedrosillanos vieron cómo se secaban varios de los pozos que tenían en sus casas, por eso muchos tuvieron que llevar a sus animales a beber al pozo que se encontraba en la parte más oriental del actual parque.

Sacaban agua por las mañanas y por las noches para poder darle agua al ganado. La cosecha fue desastrosa y prácticamente no pudieron ni siquiera recoger paja.

En este año también se crea un Juzgado Comarcal en La Armuña con sede en La Vellés y cuya jurisdicción englobaba 19 municipios, entre ellos Pedrosillo. Este juzgado, al igual que el resto de los que se habían creado, se disolvió diez años después y nuestro pueblo volvió a pertenecer al partido judicial de Salamanca.

Los años después de la guerra fueron muy difíciles, más aún para la gente del campo. Durante los años 40 y hasta pasados los 50 («cuando se empezó a respirar un poco más», como dice un vecino), todo estaba intervenido. El azúcar, la harina, el aceite y muchos otros productos no se podían cultivar ni elaborar libremente. En Pedrosillo, al igual que en el resto de los lugares, no podían ir a moler el grano al molino para el ganado. Tenían un cupo y debían entregarlo a la Fiscalía de Salamanca. Había gente que disfrutaba de una buena producción y no era demasiado problema para ellos entregar parte de lo obtenido, pero a muchos campesinos humildes desgraciadamente no les quedaba más remedio que comprarlo de estraperlo. Algunos pedrosillanos, si querían cebar a los cerdos para el consumo de la familia, se veían obligados a echarles el grano entero, o «en blando», lo que no resultaba demasiado adecuado para el animal, además de que era considerado un hecho delictivo. En una ocasión, alrededor de 1947, un vecino del pueblo, hablando más de la cuenta, comentó que en Pedrosillo los cerdos estaban siendo alimentados con trigo. Este comentario llegó a oídos de la gente de Salamanca y una serie de personas que trabajaban para la Fiscalía se personaron en el pueblo. Algunos tuvieron suerte, pues se corrió la voz y estuvieron preparados para no abrirlos y evitar que les registraran las casas. Pero no todos fueron tan afortunados y los dueños de las casas en las que encontraron cerdos, aunque tan solo fuese para el consumo de la familia, tuvieron que pagar 3000 pesetas de multa. En otra ocasión, por esos mismos años, cuenta un vecino que una noche fueron su padre y él con una mula, un carro y un saco de trigo para hacer harina a un molino en la aceña de La Flecha (Cabrerizos). Cuando llegaron, el molinero le dijo al entonces chaval: «Ponte ahí en esa esquina y, si ves alguna luz, vienes corriendo y nos avisas». Terminaron de moler, su padre le pagó al molinero (con «la maquila», como se decía entonces) y, afortunadamente, no apareció nadie durante ese rato. Volvían hacia Pedrosillo cuando, pasadas las doce de la noche subiendo la cuesta a la salida de Aldearrubia, vieron a lo lejos una serie de personas que iban fumando. Pensando su padre que era la Guardia Civil, terminaron en Pitiegua tratando de huir, pues era tremendo el miedo que se tenía por entonces a ser descubierto. Luego resultó que en realidad eran vendedores que antaño venían de El Maíllo y de La Alberca a vender castañas, fruta y carbón, y que en ese momento se dirigían a Aldearrubia. Curiosamente, en esta década tan dificultosa, la gente lo pasaba peor en la capital que en los pueblos. Escaseaba de todo en casi todas partes, pero en los pueblos, al menos, la gente tenía alguna vaca lechera, ganado, pollos, gallinas para su propio consumo. Era por ello por lo que, si la gente de Salamanca tenía amistades en los pueblos, se desplazaba hasta ellos para comprar pan o huevos. Aun así, mucha gente de estos pequeños municipios tuvo que emigrar a Bilbao, Asturias, Barcelona o países extranjeros como Alemania y Suiza.

Continuamos hasta la siguiente década. Al igual que vimos para el siglo XVIII, gracias al Catastro de Ensenada y al trabajo de Ángel Barrios, cuál era la estructura agraria del término municipal de Pedrosillo, también tenemos datos de los diferentes usos que se le daban a las tierras en 1950. Como es de esperar, el 88 % del término (excluyendo el casco urbano) se dedica al cereal y a la legumbre, algo menos que dos siglos atrás. El 3,1 % corresponde al regadío y el 8,9 % restante eran prados y pastos. En cuanto al censo ganadero, había 103 reses de tipo vacuno, 16 caballar, 49 mular, 11 asnal, 95 porcino y 74 cabrío. La situación es algo diferente a la de 31 años atrás, cuando había 79 de vacuno, 19 caballar, 12 mular, 12 asnal, 113 lanar y 5 cabrío, se desconoce el número de cerdos que había.

Durante gran parte de este siglo hubo variados comercios. Había dos panaderías, una en la calle Horno (cuyo nombre recuerda a este establecimiento) y otra en el actual número 23 de la calle de la Iglesia. También un sastre (Jeromo, de Villaverde), un tejedor y un zapatero en lo que hoy son los números 9, 8 y 7 de las casas que rodean el parque, respectivamente. Otra zapatería se encontraba en la calle de la Iglesia enfrente del centro de salud (y justo detrás se encontraba la casa de maestras). Por último, también había un herrero.

Pasamos al año 1962, en el que el alcalde y maestro de la escuela de niños don José María Carmona Fernández consigue la concesión para el pueblo de un colegio libre adoptado, bajo la dependencia académica del instituto de enseñanza media Fray Luis de León de Salamanca. Es el 10 de abril de este

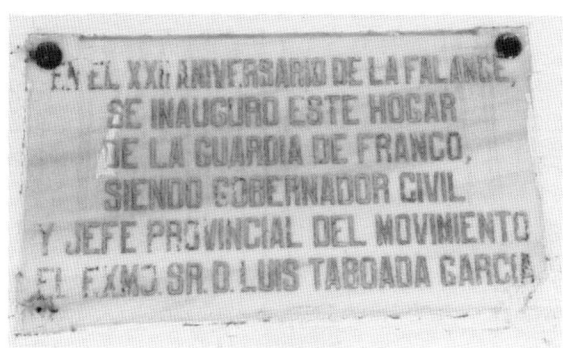

Placa conmemorativa de 1955

año cuando el BOE publica esta resolución. Sería la primera vez que se impartiesen los cuatro cursos del bachillerato elemental en toda la comarca. El Ayuntamiento corrió con los gastos y dispuso del local llamado Hogar de la Guardia de Franco para impartir la docencia. Este local había sido inaugurado el 29 de octubre de 1955, coincidiendo con el XXII aniversario de la Falange Española. La apertura de este centro se hizo ante la presencia de don José Luis Taboada García, que fue gobernador civil de la provincia de Salamanca entre 1951 y 1961. Una placa que se conserva hoy en día en la fachada de esta edificación recuerda su inauguración. En esta otra imagen se puede ver el local del colegio libre adoptado unos pocos meses después de la finalización de su construcción. Este se construyó justo al lado de la pista del frontón (compárese con la primera imagen de este capítulo). Además, se crean en el centro dos cátedras, una de la sección de letras y otra de la sección de ciencias. El profesorado lo completaban otros dos maestros que ya trabajaban en las escuelas, los sacerdotes de La Vellés y Espino de la Orbada. Sin embargo, los exámenes y la reválida que ponía fin a los estudios del bachillerato eran llevados a cabo por profesores del Fray Luis de León. Chicos y chicas de 14 y 15 años de diversos pueblos de La Armuña fueron durante 12 años alumnos de este centro. Gracias a este colegio numerosos hijos de

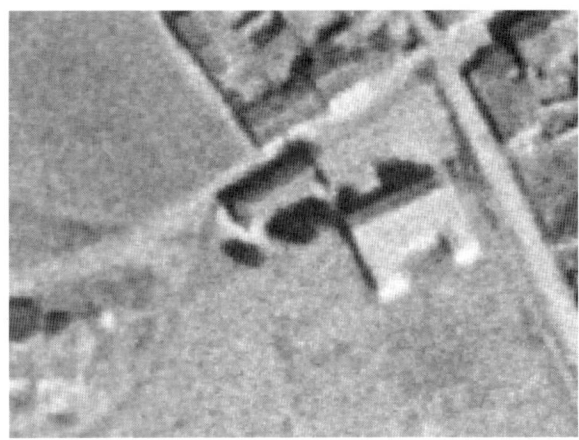

Escuelas en 1956

familias humildes pudieron realizar sus estudios medios, pues de otro modo no habrían podido hacerlo en la capital debido al alto coste que esto suponía. El Ayuntamiento disponía de una casa de maestros, para que pudieran residir los profesores que impartían clase en el colegio. Esta casa, actualmente tapiada y en desuso, podemos encontrarla en el número 12 de la calle de la Constitución.

José María Carmona fue una persona muy relevante en la historia de este siglo. Nacido en Pajares de la Laguna, fue alcalde de Pedrosillo durante muchos años, hasta las primeras elecciones de 1979. Pertenecía a la Falange y se dice que era sargento y que estuvo luchando en la guerra. Cuando volvió, lo pasaron de sargento a maestro en Pedrosillo. Cuentan los pedrosillanos que iban a clase por esos años que nunca había sido maestro y, por lo tanto, sus alumnos no aprendían apenas nada. Como él era el alcalde, era frecuente que la gente, en vez de ir al consistorio, fuera a la escuela a hablar con él, y muchas veces dejaba de dar las clases para quedarse hablando durante buena parte de la mañana con la gente que lo iba a visitar. Así, resolvía asuntos del Ayuntamiento (por ejemplo, la llegada de agua corriente al pueblo, que se hizo a iniciativa suya), pero dejaba a los niños solos en el aula. Otro maestro por esos años fue don Alfredo, el cual impartía una dura disciplina a sus alumnos. Dicen que no era mal maestro, pero sí muy duro en sus métodos, por ejemplo, al golpear con la regla, una vara o la correa en las uñas de los dedos a los niños. En una ocasión, cuando intentó golpear a unos chicos con el palo de la bandera, estos agarraron el otro extremo y, al contrario de lo que solía ocurrir, fue el profesor el que recibió la tunda. Otro maestro, del que ya hemos hablado en este capítulo, era don Cesáreo. Fue el primer maestro y vivía al principio del pueblo, enfrente del molino. Será recordado como un buen y honesto maestro que tuvo nuestro pueblo, aunque ni siquiera los pedrosillanos de más edad estuvieron mucho tiempo con él, pues se jubiló pronto. Después estuvo un interino, don Fernando, que impartió clase hasta que llegó Carmona. También lo recuerdan como un buen profesor, gracias al cual aprendieron mucho. Otra profesora muy conocida, que fue la última en impartir clase en las «escuelas viejas» hasta la inauguración del actual colegio en 1974, fue doña Nuncia. Era una maestra muy estricta que imponía mucho respeto a sus alumnos y todos los días debían saludarla e inclinarse frente a ella diciendo: «Buenos días, doña Nuncia». Una costumbre similar a esta tenía lugar cuando las niñas salían del colegio. Algunas de ellas se acercaban adonde se encontraban las madres, que solían reunirse en la calle para coser juntas, a besarles las manos y rezarles el Bendito.

Avanzando en el tiempo nos encontramos con un proceso que tuvo gran repercusión sobre los pueblos españoles en la segunda mitad del siglo XX. Hablamos de la Concentración Parcelaria. Durante siglos, la transmisión en herencia de las fincas de padres a hijos provocó un excesivo fraccionamiento de las parcelas, y fueron estas muy pequeñas y numerosas, lo que hacía muy difícil su explotación. Es en 1952 cuando comienza este proceso en España, Cantalapiedra fue el primer pueblo salmantino en el que se llevó a cabo. En nuestro pueblo el proceso concluyó en febrero de 1973 y afectó a 726 hectáreas del municipio. El número de propietarios era de 385 y el número de parcelas disminuyó a una cuarta parte, se pasó de 1911 parcelas a 455, de manera que el número de parcelas por propietario fuese el menor posible. El cambio fue sustancial y, como veremos en el próximo capítulo, la configuración parcelaria que se muestra en las imágenes aéreas de 1956 es completamente diferente a la de los años 70.

En 1974 tiene lugar otro gran paso para nuestro pueblo. El 31 de agosto el colegio libre adoptado deja de existir para convertirse en el colegio público comarcal San Andrés. Se construye un nuevo edificio (en el que se encuentran todas las aulas actualmente) y se conforman 11 unidades escolares. Este colegio, junto a los centros de Pitiegua, Tardáguila, Espino de la Orbada, Gomecello y Parada de Rubiales, formaron el centro rural agrupado La Armuña, que incluyó a más pueblos que los que abarcaba el colegio libre adoptado.

También en 1974 la familia Peramato Martín abre en Pedrosillo la única empresa hostelera que hay actualmente en el casco urbano del pueblo: el hostal restaurante Carolina. Con anterioridad existió otro bar o cantina justo en la acera de enfrente, a la altura del actual emplazamiento de este establecimiento. Esta empresa comenzó como un pequeño local que hacía de bar y, posteriormente, fue transformada una nave contigua en lo que ahora es el hostal y el restaurante. En abril de 2001 se llevó a cabo una moderna restauración del complejo, así como también a finales de 2017. En la actualidad cuenta con 23 habitaciones, capacidad para 300 comensales y piscina.

A finales de diciembre de 1993 se inaugura en el pueblo el centro médico comarcal, el cual convirtió a Pedrosillo en uno de los centros neurálgicos de La Armuña en el ámbito de la educación y la sanidad. Forman parte de él un centro de salud, cuya fachada da a la carretera, y una unidad de urgencias, en la parte más occidental y a pocos metros de la iglesia. El lugar escogido para levantar este centro, que se empezó a construir dos o tres años antes de su inauguración, es aquel que ocupaba el frontón de pelota del pueblo, que tuvo que ser demolido para poder construir el complejo médico. Los restos del frontón fueron trasladados y arrojados a la orilla de la laguna situada al norte del pueblo, en la parte más cercana a las calles de Abajo y Lavaderos. Catorce pueblos armuñeses (Aldeanueva de Figueroa, Arcediano, La Vellés, Tardáguila, Pedrosillo, Negrilla, Palencia, Villaverde, Pitiegua, Gomecello, Cabezabellosa, Pajares, La Orbada y Parada) y tres zamoranos (Cañizal, Olmo de Guareña y Vallesa de Guareña) disfrutan de los servicios sanitarios que ofrece. No fue fácil conseguir que este centro sanitario se construyese en Pedrosillo. En primer lugar, se barajó también la posibilidad de que

Fragmento del antiguo frontón

se realizase en La Vellés o Gomecello, y se descartó esta última opción posteriormente por el peligro que conllevaría que una ambulancia no pudiese entrar o salir si la barrera del paso a nivel del tren estuviese bajada. Quedaban, pues, las opciones de Pedrosillo y de La Vellés, cuyo alcalde estaba también muy interesado en que se construyese en su pueblo. Finalmente, tuvo lugar una reunión entre la corporación municipal de Pedrosillo y diversas autoridades en la pista del frontón. En un momento determinado uno de los altos cargos dijo: «Bueno, señores, aquí y, si no, en ningún sitio», indicando que era el lugar del pueblo en el que debía hacerse. Uno de los concejales dio un paso al frente y dijo: «¡Aquí se hace!» Gracias a ello, el centro de salud se quedó en nuestro pueblo.

El 7 de marzo de 1997 nuestro pueblo es escogido para presentar, en el colegio comarcal, la *Plataforma en Defensa de la Enseñanza Pública*, constituida para velar por el derecho a una buena enseñanza y mejorar su calidad. Asistió numeroso público y habló el vellesino Francisco Bernal, antiguo alumno del colegio y representante de la Federación de Asociaciones de Padres de Alumnos Rurales.

Evolución demográfica y estructural

Pedrosillo el Ralo siempre ha sido un pueblo humilde y, aunque ha estado siempre en constante cambio, esto no hecho perder nunca su carácter y su esencia. Su cercanía a Salamanca y el hecho de encontrarse junto a la carretera de Valladolid ha propiciado que no haya permanecido inmutable frente al tiempo. Desde sus inicios siempre ha sido un pueblo pequeño y sencillo, pues se estima en poco más de 500 habitantes el límite máximo de población alcanzado a lo largo de toda su historia (504 habitantes es el mayor dato exacto encontrado). El autor se considera plenamente satisfecho con el número de documentos que ha encontrado y que dan cuenta del censo de Pedrosillo a lo largo de los siglos. Asumiendo su fundación en el siglo XII y, exceptuando este y otros dos, encontramos datos demográficos para todos los siglos hasta el presente, y de forma ininterrumpida desde el siglo XVI.

Desde 1842 poseemos datos muy precisos gracias al Instituto Nacional de Estadística (INE). Podemos consultar el censo de cada década e incluso cada año de la época más reciente. Sin embargo, hasta entonces los censos o vecindarios eran bastante escasos y más extraño se hace aún que muchos se conserven actualmente. Esta escasez es debida a la dificultad que suponía antiguamente averiguar el número de habitantes de estos pequeños pueblos, pues los archivos eran prácticamente inexistentes y las comunicaciones lentas y costosas. Aun así, gracias al laborioso trabajo llevado a cabo por algunos hombres a lo largo de la historia, hoy en día podemos conocer un poco más el pasado de estos lugares. Estos datos vienen reflejados en el gráfico que veremos a continuación.

En color gris oscuro aparecen los datos exactos de población (INE, censo de Floridablanca y *Diccionario Geográfico Histórico* de Miñano y Bedoya), mientras que en gris claro se muestran aquellos que figuran en los documentos históricos hasta mediados del siglo XVIII. Estos últimos tienen una peculiaridad: las cifras de habitantes no son exactas. La unidad usada para designar la población de un lugar era el «vecino» (o *vezino*, en castellano antiguo). Vecino no equivale a habitante (o *alma*, como se solía decir), sino que hace referencia a una unidad familiar. La mayoría de historiadores coinciden en que una unidad familiar contaba de media con cuatro miembros. Esto lo podemos confirmar gracias al diccionario de Pascual Madoz de 1850, pues especifica el número de vecinos y el número de habitantes en Pedrosillo el Ralo, dato que coincide con la población de 1842 recogida por el INE. De manera que, para obtener el número de personas que residían en el lugar, tan solo hay que multiplicar el número de vecinos por cuatro. Así es como se ha procedido para hallar las primeras cinco columnas del siguiente gráfico.

EVOLUCIÓN DEMOGRÁFICA DESDE EL SIGLO XIII HASTA EL PRESENTE

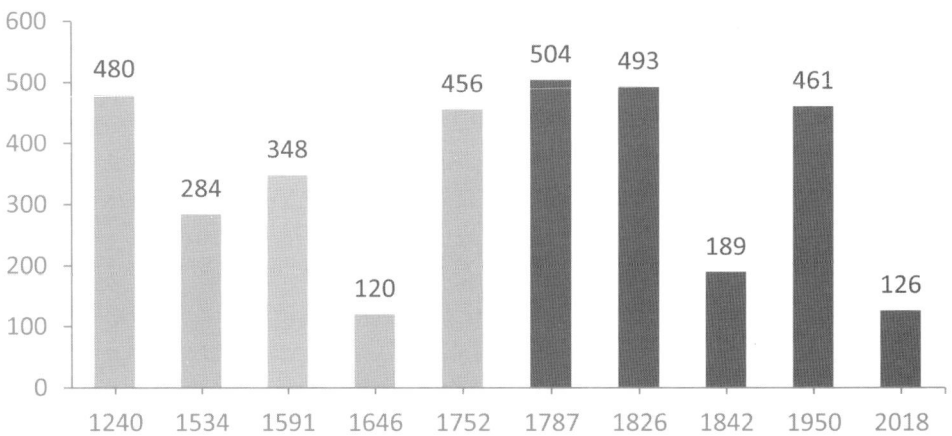

El primer apunte demográfico es el que figura en el documento del Obispado de Salamanca de 1240 del que se habló en el primer capítulo. Cuenta que hay 120 vecinos y estimamos, por tanto, 480 habitantes. La información relativa a la siguiente fecha data de 1534 y pertenece al censo de población de las provincias y partidos de la Corona de Castilla en el siglo XVI. Vemos que la población disminuyó en casi 200 habitantes, no se conoce la fluctuación en los siglos intermedios. En el censo de Castilla de 1591 se aprecia una ligera mejora y ahora son 348 los censados en Pedrosillo, que se sitúa en el puesto 15 de los pueblos de La Armuña ordenados por población, por lo que en esa época no se encontraba ni entre los pueblos pequeños ni entre los grandes.

Curiosamente, en el *Libro de los Lugares y Aldeas del Obispado de Salamanca* no aparece información en cuanto al tema que nos atañe, a diferencia de otros pueblos y poblados de La Armuña. Esto, no obstante, no es un problema, puesto que encontramos datos del mismo siglo en el vecindario de las ciudades, villas y lugares de la Corona de Castilla de 1646, donde vemos que la tendencia descendente continúa y la cifra cae hasta los aproximadamente 120 pedrosillanos, la cantidad más baja de toda la historia del pueblo. No es un caso aislado, pues la situación es similar en otros lugares de la zona, hasta el punto de que en algunos sitios no llega a haber ni siquiera 10 familias residiendo.

Avanzamos hasta el siglo XVIII, cuando el dato de población de Pedrosillo queda registrado en el Catastro de Ensenada: 456 habitantes. Fijémonos en la espectacular recuperación que tiene lugar en apenas 112 años, cuando se pasó del peor dato registrado a alcanzar casi la población del siglo XIII. Y es en 1787 cuando encontramos en el censo de Floridablanca el mayor número de residentes en Pedrosillo del que tenemos constancia: 504. A comienzos del siglo XIX la población se mantiene, aunque disminuye ligeramente hasta los 493 habitantes, según nos cuentan en el *Diccionario Geográfico Estadístico de España y Portugal* escrito por el religioso don Sebastián de Miñano y Bedoya. A mediados de siglo la situación vuelve a empeorar, aunque no de manera tan acusada como ocurrió dos siglos atrás. Esta situación torna a mejor y el pueblo recupera vecinos, con lo que empieza el siglo XX con 333 habitantes, como vemos en este segundo gráfico.

EVOLUCIÓN DEMOGRÁFICA DESDE EL SIGLO XIX A LA ACTUALIDAD

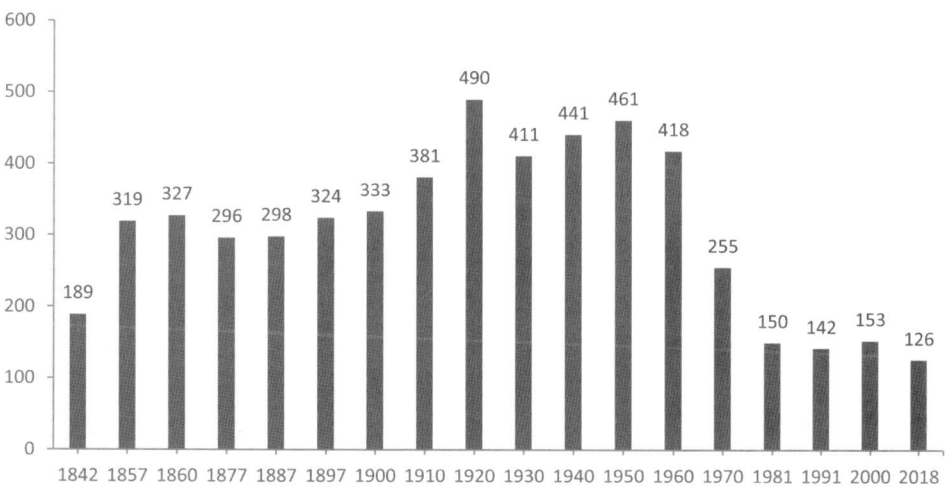

El salto demográfico que vemos en los años 50 del siglo XIX es apreciable también en casi todo el resto de pueblos de La Armuña. En los años 20 del siglo pasado encontramos el segundo valor más alto del que se tiene constancia: 490 habitantes. La tendencia desde 1857 hasta el presente es muy similar en toda la zona. Se aprecia un gran crecimiento hasta los años 50, cuando La

Armuña registra el mayor dato de población de todo el siglo XX y, quizá, el mayor de toda su historia. Durante los años siguientes comienza un descenso muy pronunciado en los años 60 y 70 debido al éxodo rural provocado por la mecanización agrícola y la industrialización de las ciudades. Muchos pedrosillanos y demás armuñeses emigran a Salamanca capital, País Vasco, Madrid y Barcelona, además de a algunos destinos del extranjero como Alemania, Francia y Suiza. Sabemos que esta emigración de los habitantes de la comarca fue más notoria entre 1965 y 1985, y podemos corroborarlo viendo el descenso durante esos años en la población pedrosillana. La excepción tiene lugar en los municipios del alfoz de Salamanca, donde, debido al precio inferior del terreno con respecto al de la capital y la cercanía a esta, el crecimiento ha sido realmente explosivo desde los años 90. Un ejemplo destacable es el de Monterrubio de Armuña, que pasó de los 62 habitantes en los años 80 a 1353 en 2016. Tan solo los municipios del alfoz que pertenecen a La Armuña, y que no llegan a la tercera parte de los 29 que la componen, poseen más del 65 % del total de habitantes de toda la comarca.

En Pedrosillo la población se lleva manteniendo constante desde hace 35 años, en torno a los 130-150 habitantes. Existe actualmente un gran equilibrio entre nacimientos, defunciones, nuevos vecinos y gente que marcha. El futuro se antoja incierto, aunque no es excesivamente arriesgado pensar que en unos años la situación pueda cambiar a mejor. La cercanía a Salamanca, el sitio tan privilegiado en el que se sitúa dentro de La Armuña, los servicios que ofrece, su atractivo entorno natural y la tranquilidad característica de un pueblo pequeño pueden motivar a mucha gente a disfrutar de estas y otras muchas ventajas que posee este humilde lugar.

En 2018 la población en Pedrosillo era de 126 habitantes (66 hombres y 60 mujeres), una de las cifras más bajas de su historia. Actualmente, Pedrosillo no es un pueblo excesivamente envejecido, como ocurre en muchos otros. Hay 25 niños y jóvenes con menos de 20 años, 22 personas entre 20 y 40 años, 55 que tienen entre 40 y 65 años, y 34 que superan los 65. El grupo mayoritario son los hombres entre 50 y 54 años, y solo tres personas sobrepasan los 85 años, las cuales son todas mujeres. De todos ellos, un 58 % nacieron en Salamanca capital u otros municipios de la provincia, el 19 % nació en Pedrosillo, el 9 % en otras comunidades de España, el 7 % en otras provincias de Castilla y León y el 7 % restante ha migrado desde otros países. Desde finales del siglo pasado la población censada y nacida en Pedrosillo ha descendido de forma apreciable, y la población censada, pero nacida en otros municipios de Salamanca, siempre ha sido la mayoritaria. La población extranjera era casi inexistente en 1996, mientras que a finales de la década pasada superó el 20 %, y volvió a bajar hasta el 7 % de la actualidad. Siete de ellos nacieron en otros países europeos, y dos de ellos en América.

A continuación se muestra cómo ha evolucionado la configuración urbanísitica de Pedrosillo el Ralo durante la segunda mitad del siglo XX a través de la fotografía aérea. La forma del casco urbano no experimenta una gran transformación, aunque en 50 años se han realizado numerosas pequeñas modificaciones y cambios para mejorar la calidad de vida de los pedrosillanos. El crecimiento mayor tiene lugar en la parte sur y suroeste, en las proximidades de la carretera de La Vellés y la de Valladolid. Se pavimentan las calles, se ensanchan las carreteras, se mejoran los caminos, se construyen chalés, se restauran y se transforman algunas casas... Resulta también curioso que, mientras el número

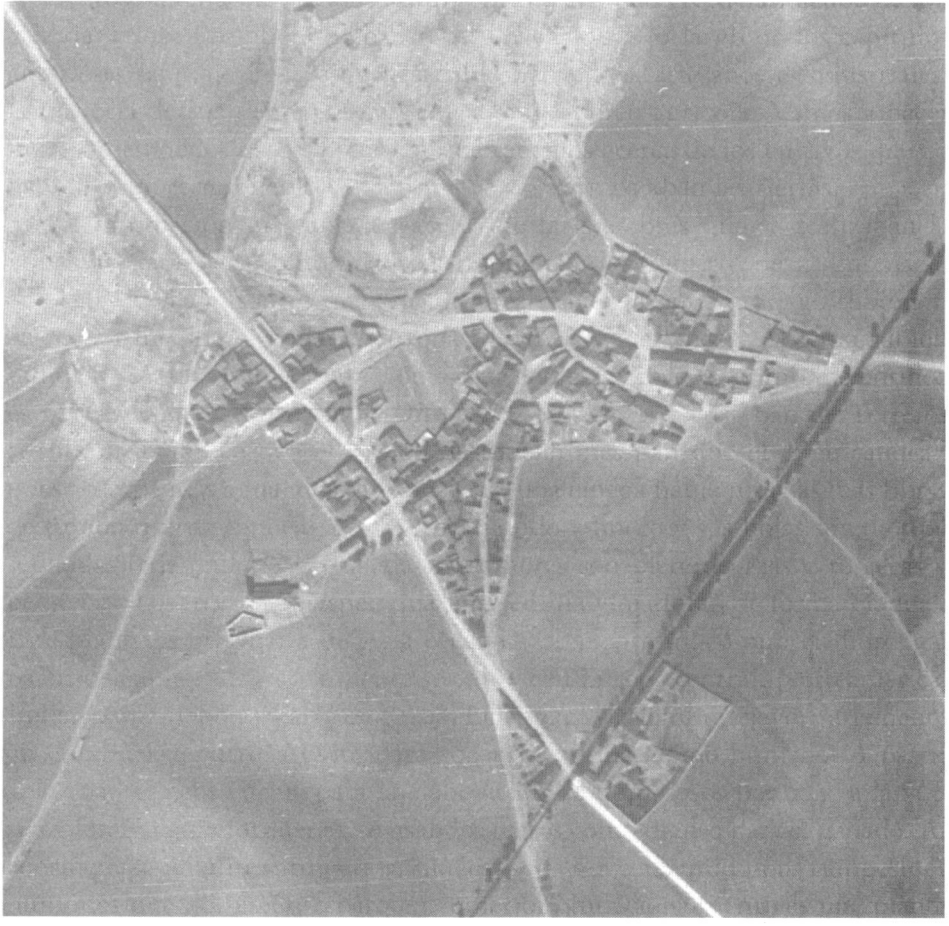

Pedrosillo en 1945 (alrededor de 450 habitantes)

de viviendas y otras edificaciones aumenta, disminuye el número de habitantes censados. Varios motivos pueden explicar este fenómeno. Por un lado, observamos que muchas casas del pueblo que antiguamente estaban habitadas ya no lo están. Un buen número de ellas quedan abandonadas e incluso unas cuantas están en estado de ruina. Por otro lado, hay que tener en cuenta que un gran número de casas del pueblo funcionan como segunda vivienda y, aunque algunas de las personas que las habitan unas semanas o meses al año están censadas en Pedrosillo, otras muchas no lo están y no computan en el censo. Todo esto hace que, mientras que actualmente la población censada en Pedrosillo ronda los 130 habitantes, no llegan a 100 las personas que residen todo el año y, sin embargo, se superan las 200 viviendo en verano.

Pedrosillo en 1956 (alrededor de 430 habitantes)

Pedrosillo en los años 70 (alrededor de 200 habitantes)

Pedrosillo en los años 80 (alrededor de 150 habitantes)

PARTE 2
Conociendo Pedrosillo

El pueblo

Ya conocemos un poco más en profundidad cuál ha sido la evolución y cuáles han sido algunos de los acontecimientos más importantes de Pedrosillo el Ralo a lo largo de sus nueve siglos de historia. A continuación descubriremos cómo es el pueblo en la actualidad. Conoceremos de forma detallada su estructura y sus casas, cuáles son sus edificios principales e históricos, qué características posee su término municipal, cuál es su fauna y su flora, etc. Tanto si el lector no ha visitado nunca el pueblo como si lo conoce, pero quiere aprender algo más, en las siguientes páginas podrá descubrir información muy interesante que le permitirá observarlo con otros ojos y apreciar mejor la riqueza que este tranquilo lugar tiene.

Pedrosillo el Ralo es un municipio y una localidad española de la provincia de Salamanca, en la comunidad autónoma de Castilla y León. Se integra dentro de la comarca de La Armuña y pertenece al partido judicial de Salamanca y a la mancomunidad de La Armuña. Se sitúa a 18 km de Salamanca, en el Noroeste de la provincia. El casco urbano se encuentra a 818 m de altitud y su punto de mayor altitud está a 827,5 m sobre el nivel del mar, en el teso Torpedero, justo en el límite con el término municipal de La Vellés.

Un total de 22 calles conforman este pequeño pueblo. No existen plazas como tales en el núcleo urbano, aunque la confluencia de la calle de la Constitución y la calle Cervantes (corta y ancha) hace las veces de plaza del pueblo.

Vista de parte del pueblo desde la torre del ayuntamiento

En textos antiguos sí aparece el término Plaza o Plaza Grande como lugar del pueblo, y era usado para referirse a la zona en la que se encuentra actualmente el parque que hay al norte del casco urbano. Numerosas calles del pueblo poseen un nombre realmente fácil de recordar, pues señalan una característica concreta de la vía: la calle de la Iglesia finaliza en la iglesia, la calle de la Ermita tiene por continuación un camino que va a dar a la ermita, la calle del Medio se encuentra en una zona central del pueblo, la calle de los Lavaderos discurre junto a los antiguos lavaderos...

Algunos nombres de las calles se han mantenido durante muchos años, aunque un buen número de ellas han ido cambiando con el paso del tiempo, además de otras muchas que han sido creadas con la evolución del pueblo. Así, como veíamos en el censo de 1889, hay muchas calles que siguen existiendo, otras han cambiado su nombre y más de la mitad se han construido desde entonces hasta la actualidad. A continuación vemos algunos de estos cambios que han tenido lugar en las últimas décadas. Actualmente, ya no encontramos el nombre de Diego Martín Veloz, que durante muchos años fue el que tuvo la calle principal del pueblo. La travesía del pueblo que llevaba por nombre San Andrés ahora se denomina Santa María, y existe, además, otra calle que también hace referencia a la Virgen María, y no es otra que la patrona del pueblo: la Virgen de Gracia. Sin embargo, aunque ya no haya calles en honor al patrón, este sigue estando presente en el nombre del colegio comarcal San Andrés. La calle Larga actualmente se encuentra dividida en dos: la calle de Arriba, que parte del parque hacia el este, y la calle de Abajo, que continúa desde el parque hacia el oeste. Estas dos calles configuran la vía urbana más larga y amplia del pueblo, lo que hace que sea una de las preferidas por los pedrosillanos para dar agradables paseos. Es muy común en estos pueblos encontrar términos y nombres de personajes importantes de la época franquista, los cuales gradualmente se han ido sustituyendo por otros. Así, la calle de José Antonio hoy se denomina calle de la Constitución.

Por otro lado, hay algunas calles que podrían tener varios siglos de antigüedad, como la calle de la Iglesia, que parece ser una de las más antiguas, y la cual siempre se habría llamado así. La calle del Arrabal aparece mencionada en textos de 1788 y la Ronda de los Huertos (anteriormente camino de los Huertos) en textos de mediados del siglo XVIII. Es también muy común encontrar en libros antiguos referencias a barrios en vez de calles. Así, en los libros del Catastro de la Ensenada de 1752 y otros del mismo siglo, observamos cuáles son las distintas partes en las que se divide el casco urbano: barrio de Arriba, barrio de la Plaza, barrio de la Iglesia, barrio del Arrabal, barrio de Carrelatorre, barrio del Mesón de Catalina, barrio de la Laguna, barrio de Abajo y barrio del Medio.

Un total de 125 viviendas componen actualmente el municipio de Pedrosillo. Un 28 % de ellas son anteriores a 1900, un 32 % se construyeron entre 1900 y 1950, un 17,6 % entre 1951 y 1980, y un 22,4 % entre 1980 y 2001. Las tipologías edificatorias de gran parte de ellas responden al modelo tradicional de casa de labranza de los núcleos rurales de esta comarca salmantina, es decir, viviendas unifamiliares y de planta baja (algunas también con primera planta) y corrales anexos. Estas fueron levantadas haciendo uso de la arenisca del lugar, se presentaba esta sola o conjugada con ladrillo macizo. Este ladrillo también se encuentra en forma de almohadillado rodeando algunas ventanas y, en otras ocasiones, formando hileras para constituir parte de la fachada.

A modo de ejemplo, queremos destacar dos de las 35 casas construidas con anterioridad a 1900 y que se encuentran en muy buen estado, fruto de la voluntad de sus sucesivos propietarios de mantenerlas restauradas.

Casa construida en 1840

Una de ellas es de las casas más antiguas, cuya fecha de construcción es fiable (1840, según sus escrituras), la cual da por el sur a la calle de Arriba y por el este a la calle del Cable. Esta casa presenta, en excelentes condiciones, sillares, mampostería, ladrillos, y dinteles y jambas de piedra. Todos ellos elementos característicos de las edificaciones tradicionales del pueblo. La segunda casa se encuentra junto al cruce con la carretera de Villaverde, en el número 29 de la calle de Arriba. Su interior y exterior han sido reformados en numerosas ocasiones y muestra una fachada muy bien cuidada. El interés de esta casa recae en el antiguo uso que esta tenía hace más de un siglo, pues por entonces era una posada. Además, contaba con un pozo, del cual se sacaba agua para dar de beber al ganado que tiraba de los carromatos que discurrían por la carretera cuando tan solo era un camino. Cuando el abuelo del actual dueño la compró, esta pasó a ser una vivienda unifamiliar.

El cultivo de las tierras de cereales ha sido durante siglos el oficio principal de estos pueblos, por lo que el estilo urbano de Pedrosillo se debe

Antigua panera del Pósito Pío

fundamentalmente al eficiente desarrollo de la agricultura. Por ello las construcciones tradicionales corresponden a casas de planta baja con destino a vivienda, patio trasero al fondo con dependencias anejas y sobrado o doble que cumple la misión de granero o panera. Es por ello por lo que otros de los edificios característicos del pueblo son las naves, donde se guarda el grano y la maquinaria agrícola. Un ejemplo de este tipo de edificaciones es la casa panera que existió hasta el siglo pasado en el número 16 de la calle de la Iglesia. El pósito agrícola de Pedrosillo el Ralo, en una carta dirigida al párroco del pueblo Abdón Segurado en 1930, nos informa de que esta casa panera debió de pertenecer al antiguo Pósito Pío de Pedrosillo, el cual finalizó en 1846. La misión de estos antiguos pósitos era la de almacenar el grano para poderlo prestar asequiblemente en época de escasez. Hoy en día esta casa se mantiene prácticamente inalterable desde hace décadas.

El pueblo también cuenta con dos pequeños parques que hacen de zona recreativa. El primero, que se encuentra al norte del pueblo, está rodeado por la calle Plaza y de él parten la calle del Poste, la calle de Arriba y la calle

Parque infantil

de Abajo. Fue renovado en 2017 y cuenta con un parque infantil con columpios, toboganes y balancines; dos bancos y una fuente. Anteriormente existió una fuente baja decorativa y otra para beber en la parte más oriental. Son varios los árboles que se encuentran en él, pero, sin duda, destacan los tres grandes chopos que se encuentran alineados junto a la acera y que superan los diez metros de altura. El otro parque es bastante más pequeño y mide unos escasos 200 m² de superficie. Se encuentra muy cerca del primero, hace esquina con la calle Cervantes y la de la Constitución.

Parque con aparatos de gimnasia

Posee varios árboles muy frondosos que dan sombra durante gran parte del día sobre dos grandes piedras que hacen de bancos. Cuenta con cuatro aparatos de gimnasia biosaludable que disfrutan vecinos de todas las edades.

El ayuntamiento es un edificio moderno y funcional con una superficie de solar de 466 m² y una superficie construida de 932 m², lo que lo convierte en uno de los más grandes de La Armuña. Consta de dos plantas y un torreón. La Administración se encuentra en el primer piso y cuenta con un despacho para el secretario, otro para el juzgado de paz, una sala de juntas y un recibidor con salida a un ancho balcón justo encima de la puerta principal. En el piso de abajo encontramos el archivo municipal; el local cultural, cedido por el Ayuntamiento como sede de la Asociación para la Promoción de la

El consistorio en 2008

El consistorio en 2009

Autonomía Personal La Rebollada, equipado adecuadamente para albergar las actividades culturales que tienen lugar en el pueblo; y un local más grande multifuncional que sirve como salón de actos, sala de exposiciones y hasta permite celebrar diversos eventos que no puedan ser llevados a cabo en el exterior debido a inclemencias meteorológicas. Estos dos últimos locales fueron adecentados y reconfigurados a finales de la década pasada, así como el exterior de la casa consistorial, que fue rematado, pues se tapó el acabado de ladrillo y se dejó una fachada de color ocre claro que guarda mucha más correspondencia con el entorno. En estas imágenes podemos ver el cambio de imagen que tuvo el edificio tras su remodelación. El torreón, sin embargo, sigue actualmente sin estar concluido y solamente cuenta con unas escaleras que conducen a un estrecho balcón desde el cual se puede avistar todo el casco urbano y gran parte del término municipal. Este ayuntamiento se levanta sobre el mismo terreno en el que se encontraba el antiguo consistorio que fue derribado a principios de los años 90.

Como comentábamos dos capítulos atrás, en Pedrosillo se encuentra el colegio público comarcal San Andrés, cabecera del centro rural agrupado (CRA) «La Armuña». Actualmente, además del colegio de Pedrosillo, solo quedan otros dos colegios pertenecientes al CRA: los de Gomecello y Pitiegua. Desgraciadamente, estos dos colegios no pudieron abrir en el curso 2016-2017 por no llegar al límite mínimo de alumnos. Esperemos que en el futuro se revierta esta situación que se vive actualmente debido al despoblamiento rural.

El actual director del centro es Magín Hernández Bejarano y son diez profesores los que imparten enseñanza. Son tres hombres y siete mujeres; son cinco los profesores titulares en Pedrosillo, cuatro itinerantes y una compartida. Hasta el año 2012, los alumnos del centro podían cursar sus estudios hasta 2º de la ESO incluido, pero actualmente solo se imparte Educación Infantil y Primaria. Son 57 los niños que están escolarizados en 2017 en este centro rural agrupado, 19 en Infantil y 38 en Primaria, con edades comprendidas entre los 3 y los 12 años. Es grande la labor y el empeño de estos profesores y profesoras que con su esfuerzo consiguen que los niños reciban la mejor atención posible. Existe un servicio de comedor y otro de transporte escolar. Un total de 42 alumnos de 11 localidades diferentes usan este servicio de autobús para desplazarse hasta Pedrosillo. Son tres las rutas que se realizan y en cada una de ellas hay una cuidadora que acompaña a los niños. El terreno donde se asientan las instalaciones del colegio San Andrés tiene un área de 2143 m^2 y se compone de dos edificios, dos pistas deportivas, una zona cubierta por un

Colegio público comarcal San Andrés

techado y un parque infantil. Se encuentran junto a la travesía del pueblo, en la carretera de La Vellés, y dejan una zona verde entre medias donde encontramos también la parada de autobús y el pilón.

Junto al colegio de Pedrosillo se encuentra otro de los edificios importantes del pueblo: el centro médico comarcal, que se inauguró en 1993 como vimos anteriormente. Es uno de los 23 centros de salud rurales que dan cobertura sanitaria a toda la provincia de Salamanca. Es un conjunto de tres edificaciones unidas que forman dos unidades independientes, pero conectadas: el centro de salud, al que se accede desde la travesía (calle de Santa María) y la unidad de urgencias, a la que se accede desde la calle perpendicular (calle de la Iglesia). Es un edificio moderno de apariencia sobria, por lo que no contrasta fuertemente con las viviendas de alrededor. Ocupa una superficie de 698 m^2 y cuenta con zonas ajardinadas junto a la fachada que da hacia el este y entremedias de las dos unidades.

Durante los primeros años de funcionamiento, en el centro ejercían su labor diez doctores, cuatro asistentes técnicos sanitarios, una matrona y un veterinario. A principios de la década pasada la plantilla era más reducida debido al decremento de la población rural y contaba con siete médicos, un pediatra adscrito de Salamanca y algunos colaboradores para determinados servicios.

Desde luego, Pedrosillo es un pueblo muy bien comunicado. Por un lado, 15 escasos minutos son los que separan el pueblo de la capital, lo que permite que, mientras que aún mantiene su carácter rural y tradicional, también puede ser considerado un «barrio» de Salamanca a efectos de la cercanía que hay entre ambas localidades. Esta característica es realmente atractiva, pues Pedrosillo es perfectamente capaz de aunar la vida tranquila de pueblo con las ventajas que presentan los servicios de la ciudad de Salamanca. No hay sensación de «pueblo dormitorio», como ocurre con algunos de los que forman el alfoz. Además, tres empresas de autobuses tienen a Pedrosillo como parada de trayecto, lo que permite una excelente comunicación con la capital, así como con otros pueblos de La Armuña y otros tantos de Zamora y Valladolid. Encontramos gran variedad de horarios entre semana y también unos pocos en fin de semana.

Cinco carreteras de diferentes tipos son las que pasan por Pedrosillo. Del casco urbano parten tres carreteras regionales: la SA-601, que comunica con La Vellés; la SA-600 (o DSA-660), que lleva hasta Gomecello, y la DSA-661, que une Pedrosillo con Villaverde de Guareña. La carretera que une Pedrosillo con La Vellés es bastante usada actualmente, pues permite unir los pueblos a los que se accede desde la carretera de Toro con aquellos a los que se accede desde la carretera de Valladolid, es la última conexión entre las dos carreteras nacionales hasta Fuentesaúco y Cañizal. La que une Pedrosillo con Gomecello también es transitada pues es necesaria para llegar a varios pueblos armuñeses, además de comunicar estos con la comarca de Las Villas. Aun así, hasta finales del siglo XIX estas no debían de ser más que caminos, dado que en 1887 termina su construcción y son declaradas carreteras provinciales. La DSA-661 es una carretera muy tranquila, pues tan solo la recorren aquellos coches que van y vienen de Villaverde. Su primera gran obra fue a finales de 1921, cuando pasó de llamarse camino a considerarse carretera. La nacional N-620, que une Salamanca con Valladolid, cruza el término de noreste a suroeste pasando junto al pueblo y siempre ha sido una de las carreteras más importantes de Castilla y León. Esta comienza en Burgos y llega hasta Fuentes de Oñoro, en la frontera con Portugal. En las imágenes de mediados del siglo pasado podemos observar que entonces era muy estrecha, aunque muy cuidada, debida a su importancia. El 16 de enero de 1981 se resuelve la expropiación de parte de algunas tierras colindantes a la carretera para poner en marcha un ensanche de esta hasta obtener unas dimensiones similares a las que tiene hoy en día. Desde 1999, podemos acceder a Pedrosillo por autovía: la A62, que va paralela durante todo su recorrido a la nacional. Esto ha aliviado enormemente el tráfico de la N-620 en los últimos años y, a la vez, dado que la autovía tiene salida en Pedrosillo, ha propiciado la creación de complejos hosteleros en las inmediaciones, lo que ha dado cierta importancia al pueblo.

Pedrosillo no cuenta con monumentos como tales, pero un paseo por sus calles puede descubrirnos verdaderos atractivos arquitectónicos. Un total de

27 edificaciones del pueblo se encuentran catalogadas como inmuebles cuya preservación es conveniente y cuya alteración se encuentra perfectamente regulada, pues son edificios históricos o casas típicas de la arquitectura tradicional de esta zona. Dos de ellas, la iglesia y la ermita, se enmarcan dentro de un plan de protección integral que comprende aquellas edificaciones de valor histórico y arquitectónico que, por su calidad, antigüedad, escasez o rareza o representatividad de un periodo, deben ser conservadas en todas sus características, tanto exteriores como interiores, su forma de ocupación del espacio y los demás rasgos que contribuyen a singularizarlo como elemento integrante del patrimonio construido, siempre que su estado de conservación lo permita.

Las otras 25 restantes se encuentran en nivel de protección ambiental, es decir, que por su carácter o situación en un entorno determinado colaboran a estructurar el conjunto urbano, al menos en lo relativo a su aspecto exterior. Por tanto, este nivel de protección afecta sobre todo al aspecto exterior, que es el que caracteriza el entorno y el recuerdo histórico. En el siguiente mapa se pueden observar las localizaciones de estas construcciones y viviendas, resaltadas con un color gris más oscuro (no aparece la ermita por encontrarse

Mapa con los inmuebles en régimen de protección señalados

fuera de los límites del mapa). Varias de estas viviendas datan de principios del siglo pasado e incluso de la segunda mitad del siglo XIX. Algunas presentan un aspecto más antiguo, mientras que otras han sido convenientemente restauradas y sirven de vivienda habitual de numerosos vecinos. Comentamos a continuación las peculiaridades de algunas de ellas.

Junto al ayuntamiento, hacia el oeste, encontramos una casa que aúna piedra arenisca, ladrillo y bandas de cerámica. La fachada de la planta inferior está compuesta por sillares de piedra, mientras que en la superior observamos tres balcones con barandillas de hierro separados por jambas de piedras, baldosas de cerámica dispuestas en vertical y filas de ladrillos. En las viviendas adosadas a su parte derecha encontramos un estilo parecido, aunque como peculiaridad se observa una fábrica de ladrillo con entrantes y salientes a modo decorativo, y no completamente lisa, como veíamos en la anterior. Son numerosos los lugares del pueblo en los que encontramos estas edificaciones populares con zócalo de piedra en la planta baja y lienzo de ladrillo cubriendo la pared exterior de la primera planta o buhardilla. Sin embargo, la forma de las ventanas superiores presenta una gran variedad de tamaños, desde grandes puertas que dan a balcones hasta diminutas aberturas ovaladas a través de las cuales solo pasan unos pocos rayos del sol.

En la calle Santa María, en la esquina con la calle Miguel de Unamuno, se halla una curiosa casa de dos plantas que muestra tres fachadas: la que da a la primera calle, hecha de piedra granítica, cemento, y ladrillo rodeando los vanos de dos ventanas; la que da a la segunda, hecha de sillarejos irregulares; y una tercera muy cuidada que hace de chaflán. En esta última hay que destacar los adornos en forma de rosetas en los dinteles de la puerta y la ventana del balcón superior. En la confluencia de la nacional N-620 y la carretera de Gomecello, se encuentra un gran caserón que en su tiempo fue un molino movido a vapor que recibió el nombre de Fábrica Harinera Nuestra Señora de Gracia y que regentó durante muchos años Juan Pérez. En una crónica de 1901 nos cuentan lo siguiente: «Esta finca cercada, con un perímetro de 8.000 m^2 próximamente, la unen grandes paneras, espaciosos corrales con cobertizos, carboneras, fragua, huerta-jardín con paseo cubierto y depósitos hidráulicos. Y, por último, una magnífica y elegante casa vivienda, con accesorios de cochera, establos, talleres, galerías con palomar y gallinero, y un local donde pueden cebarse de 115 a 130 plazas». A mediados del siglo pasado incluso había dentro pavos reales y a los niños del pueblo les encantaba ir y asomarse a la tapia para verlos. Por entonces, se molía sobre todo pienso para ganado, aunque parte también para hacer harina para consumo humano. El lector puede hacerse una mejor idea sobre algunas de las edificaciones que hemos mencionado viendo el anexo fotográfico. Ahí se muestran algunas de las casas que representan mejor la arquitectura tradicional y popular de Pedrosillo, pues se han escogido unos ejemplos de casas antiguas del pueblo con cierto valor histórico y cultural.

Gobierno municipal

Desde el fin del régimen franquista y la llegada de la democracia, ha habido un total de 10 procesos electorales en España para elegir al alcalde y los concejales de los municipios, los cuales son los encargados de gestionar y hacerse cargo de los ayuntamientos durante cuatro años. Durante gran parte de la dictadura franquista, José María Carmona fue el alcalde del pueblo. Sucedió al anterior alcalde, Tarcisio Polo Encinas, y estuvo muchos años hasta que comenzaron las elecciones de la democracia. El 3 de abril de 1979 se celebró el primero de estos comicios municipales, en el cual participaron más de 16 millones de españoles. Aun así, en Pedrosillo estas no han sido las elecciones con más participación ni con más censados que ejercieron su derecho al voto. Fue en 1999 cuando mayor número de habitantes participaron en este proceso electoral: un total de 115. Sin embargo, fue en las elecciones anteriores, las de 1995 cuando la participación sobre el total de censados fue mayor: un 88 %. En ambos comicios fue elegido alcalde Matías Sánchez Gómez.

Los pedrosillanos que han querido presentarse a las elecciones municipales lo han hecho a través de ocho partidos políticos, más aquellos que se presentaron como independientes en 1979. Todos aquellos han tenido representación en el Ayuntamiento excepto Unión del Pueblo Salmantino (UPSA) y Coalición Sí por Salamanca (SI). El Partido Socialista Obrero Español (PSOE) ha sido el partido que más veces ha ganado las elecciones municipales, hasta en seis ocasiones, seguido de la Unión Regionalista de Castilla y León (URCL), dos veces, y el Partido Popular (PP) y Unión de Centro Democrático (UCD) que ganaron una vez cada uno las elecciones. Aunque el número de concejales electos siempre ha sido de cinco en nuestro pueblo, el número de personas que se han presentado ha variado mucho durante los años. Así, los sufragios de 1979, 2003 y 2007 han sido en los que mayor número de gente quiso optar por entrar en el Ayuntamiento: 10 candidatos en cada uno de ellos.

ALCALDES DE PEDROSILLO EL RALO
DESDE EL COMIENZO DE LA DEMOCRACIA

1979-1983	Martín Benito Porteros
1983-1987	Antonio García Esteban
1987-1991	José Manuel Carbayo Tardáguila
1991-1995	Antonio García Esteban
1995-1999	Matías Sánchez Gómez
1999-2003	
2003-2007	Isabel María García
2007-2011	
2011-2015	José Luis Ayuso Gómez
2015-2019	

Los alrededores y su naturaleza

El término municipal de Pedrosillo el Ralo es el más pequeño de toda la comarca, puesto que su superficie apenas tiene 8,12 km^2, y su trazado está regulado por el Proyecto de Delimitación del Suelo Urbano, aprobado el 28 de noviembre de 1994.

Su parco término municipal puede explicarse considerando que Pedrosillo no ha tenido antiguos poblados en las inmediaciones y que aquellos más cercanos, como Armenteros, fueron incorporados a otros municipios. Así, por ejemplo, el término de La Vellés, que limita por el noroeste, comprende el terreno correspondiente a la localidad de La Vellés, las alquerías de Aldealama y Gansinos, y los despoblados de Pedrosillo de Francos y Armenteros. Otro ejemplo es el de Villaverde de Guareña, que limita por el este y sureste. Este municipio está formado por la localidad homónima, la alquería de Cañadilla y el despoblado de Sordos. Una peculiaridad con respecto a este asunto es el Coto Mancomunado de Pedrosillo el Ralo y Villaverde de Guareña, zona que comprende parte de terrenos de ambos municipios y que tiene ciertas competencias comunes a ambos pueblos. Como ya vimos en los primeros capítulos, la repoblación debió de llevarse a cabo siguiendo un plan racional que fijase la tierra que se iba a roturar y dejase los montes como comunales de uno o varios poblados. La mayoría de estos terrenos comunales hoy ya no existen y en La Armuña este coto mancomunado de Pedrosillo y Villaverde es el único que se conserva en la actualidad. En la parte pedrosillana, este coto engloba los terrenos de Carrelatorre y el Trébol, al sureste del pueblo y entre las carreteras de Villaverde y Gomecello. Además, curiosamente, durante cinco años (desde el 20 de mayo de 1925 hasta el 13 de mayo de 1930) los Ayuntamientos de Pedrosillo y Villaverde estuvieron fusionados.

Las tierras de cultivos cerealistas conforman el elemento más característico del paisaje pedrosillano y, por extensión, el armuñés. Según el censo agrario de 2009, uno de los más exhaustivos, sabemos que en ese año existían 16 explotaciones o empresas agrarias, que ocupaban 790 hectáreas del término

Vértice geodésico del Torpedero

municipal, de la cuales 746 eran de labranza, 43 se dedicaban a pastos permanentes y 1 era de otro tipo de tierras. Volveremos al tema de los cultivos tres capítulos más adelante. La planicie y las llanuras son los principales rasgos de esta comarca. Así, desde cualquier punto del término de Pedrosillo, es posible ver los límites de este. Pequeños tesos rompen la monotonía del entorno y sirven de atalayas desde las que extender la mirada durante varios kilómetros en todas direcciones. Los dos tesos más importantes del municipio son el del Torpedero y el de la cuesta del Moño. Al primero podemos acceder desde el pueblo a través de los caminos de Carrevilla o la Calzada Vieja, ambos continuación hacia el suroeste de la calle de Abajo. Este teso se encuentra dividido administrativamente, pues su cara norte pertenece a La Vellés, mientras que su cara sur, a Pedrosillo. En una de estas lindes fronterizas se encuentra un vértice geodésico levantado en 1991. Estos puntos señalizados, regulados por el Instituto Geográfico Nacional de España, son pilares blancos con bases prismáticas desde las que se eleva un fuste redondeado. Estos conforman una red de triangulación con otros vértices que ayudan en la elaboración de los mapas topográficos. Desde él podemos avistar otros vértices armuñeses, como es el del Viso (Monterrubio de la Armuña), Cañada (Villaverde de Guareña) y Tardáguila (pueblo homónimo). El otro teso, el de la cuesta del Moño, se encuentra en el noreste del pueblo y se llega a él a través del camino de los Hoyos, el cual continúa hacia el término de Villaverde de Guareña y posteriormente al teso de San Miguel, en el término de Pajares de la Laguna. Junto a esta elevación del terreno se encuentran las tierras de Las Villas, de las cuales se habló anteriormente.

En cuanto a la geología del término de Pedrosillo, sabemos que esta zona se sitúa en el borde occidental de la cuenca terciaria del Duero, por lo que mayoritariamente se encuentran materiales terciarios, aunque también existen sedimentos cuaternarios. Aquellos de formación terciaria se caracterizan por arcillas pertenecientes al periodo del Paleógeno (más concretamente a la época geológica del Paleoceno, la cual comenzó hace unos 66 millones de años y terminó hace unos 56 millones de años). Es por estos materiales arcillosos por lo que muchos caminos presentan tonalidades pardo-rojizas, pues son resultado del afloramiento de estos suelos profundos y ricos en oligoelementos. Una gran ventaja que presentan, de cara a la agricultura, es la gran capacidad que poseen de retener agua, lo que da lugar a unas óptimas condiciones para el laboreo agrícola. Aun así, esta zona presenta un drenaje aceptable por filtración, se encuentra agua a poca profundidad. De la etapa del Oligoceno también se observan conglomerados (con cantos metamórficos e ígneos), gravas, arenas y, en menor medida, lutitas. Estas piedras areniscas y oligocenas, sometidas a un cierto grado de endurecimiento, han servido como material de construcción para muchas de las casas típicas de Pedrosillo. Estas están formadas por materiales limo-arcillosos, de grano fino y mediano, con tonalidades ocres y rojizas. Los materiales que existen de formación cuaternaria (desde hace 2,59 millones de años hasta la actualidad) se deben al aporte de los arroyos y regatos de la zona. Estos depositan arenas cuarzo-feldespáticas, rocas metamórficas, granitoides, cuarzos y abundantes limos. Las rocas más gruesas pueden variar de tamaño entre 4 y 6 cm, además de ser homogéneas y de forma redondeada. El tipo de suelo de Pedrosillo se denomina Cambisol cálcico y se caracteriza por ser débilmente ácido o neutro, casi alcalino, y se extiende de manera uniforme por todo el término. Es un tipo de suelo ideal para el cultivo de cereales de secano y leguminosas.

El clima es el propio de la meseta norte, que responde a la tipología mediterránea de interior. Los inviernos son crudos y largos, con numerosos días de heladas y otros tantos de nieblas persistentes y densas. Las nevadas en numerosas ocasiones han cubierto el pueblo de un gran manto blanco. Por el contrario, los veranos son cortos y secos, con altas temperaturas. Los madrileños dicen aquella frase de: «nueve meses de invierno y tres de infierno». Desde luego, esta afirmación podría describir sin ningún problema el clima característico de las tierras armuñesas. Esto lo podemos corroborar con los datos que nos proporciona el Ministerio de Agricultura, Pesca, Alimentación y Medio Ambiente, el cual nos indica que la duración del periodo cálido anual es de un mes, mientras que la duración del periodo frío o de heladas es de ocho meses. La duración del periodo seco es de tres meses y medio. Vemos también que las temperaturas varían enormemente entre estos periodos, pues la temperatura media de las mínimas del mes más frío es de -1 °C, mientras que la temperatura media de las máximas del mes más cálido es de 30,1 °C. La forma característica del pueblo (calles anchas con espacios abiertos y edificaciones de planta baja) hace que en invierno el viento corra libremente por sus calles, lo que aumenta la sensación térmica de frío, y en verano, la escasa sombra que arrojan las viviendas hace poco soportable la vida en el exterior. Los máximos de temperaturas aparecen en julio y agosto, mientras que las mínimas se producen en diciembre, enero y febrero. Las otras dos estaciones del año son cortas y dan la sensación de ser fugaces transiciones entre la crudeza de las dos principales estaciones. Sin embargo, es durante la primavera y el otoño cuando se concentran la mayor parte de las precipitaciones. El cociente entre sus temperaturas y sus precipitaciones medias anuales, que es de 438 litros por metro cuadrado, lo clasifican como clima árido o mediterráneo continentalizado, propio del sector central de la cuenca del Duero, con una temperatura media anual de 11,5 °C. Los vientos típicos de esta región soplan del oeste, suroeste y noreste. Los dos primeros son templados y, en concreto, el segundo suele dejar precipitaciones. El tercero corresponde a vientos fríos y secos.

El agua es un elemento indispensable para el campo. Desde siempre, los agricultores han alzado la mirada al cielo esperando la necesaria llegada de la lluvia, como bien veíamos en aquel escrito del siglo pasado. Ha sido, es y será claramente un elemento indispensable de la vida rural. No es de extrañar, por tanto, que aparezca ampliamente en el refranero tradicional español. Algunos de los más conocidos son: *En abril, aguas mil. Hasta el cuarenta de mayo, no te quites el sayo. La lluvia por San Juan, quita vino y no da pan.* Y, centrándonos en el ámbito que nos atañe, tenemos dos muy curiosos: *Si las charcas no se llenan hasta Navidad, a La Armuña bien le va. Si el regato corre en Navidad, «pa» La Armuña malo va, y si antes de San Andrés, mal «pa» Pedrosillo y peor «pa» La Vellés.*

Llevando la mirada hacia abajo, el agua también se encuentra en diversas partes del municipio en forma de pequeños arroyos y charcas o lagunas. E incluso, bajando todavía más la mirada, hacia el subsuelo, el agua también está presente. Todo el término de Pedrosillo el Ralo, además de muchos otros pueblos armuñeses, se sitúa encima del acuífero denominado Detrítico de la Armuña y, más concretamente de la unidad hidrogeológica nº 19 denominada «Cubeta de Ciudad Rodrigo», que forma parte de la cuenca hidrográfica del Duero. Es este acuífero de Pedrosillo el que abastece de agua al pueblo y lo hace mediante la captación denominada «Las Calverizas», un pozo entubado de titularidad y gestión municipal de 120 m de profundidad y cuyo caudal estimado es de 1,6 l/s, situado en la parte más alta del Prado del Cerrado, junto a la Laguna Alta. Unas bombas extraen el agua de esta captación y lo llevan mediante un tubo de 5 metros de longitud hasta un depósito de hormigón semienterrado de 50 m^3 de capacidad. Desde aquí, el agua fluye hacia el casco urbano a través de una tubería que discurre junto al camino de la Ermita. Existen varias salidas de manantial a la superficie repartidas por todo el término municipal, aunque, desgraciadamente, algunas se encuentran en la actualidad bastante secas o cegadas, como las del Prado del Cerrado. Aun así, encontramos numerosas charcas y algunos arroyos que, dependiendo de la estación del año, almacenan o transportan mayor o menor cantidad de agua. Comenzaremos haciendo una breve reseña sobre los arroyos o regatos y luego pasaremos a las charcas y lagunas.

Regato de La Rebollada (o de la Gavia de Valbellido) a la altura del camino de los Hoyos

De sur a norte, por la parte más occidental, discurren el arroyo de las Salineras y el arroyo de Prado Ancho, que nacen en Gomecello. El primero posee una variante llamada regato del Moro y el segundo otra llamada regato de Prado Cerrado. El arroyo de Prado Ancho pasa por las tierras de las Fuentes, donde se encuentra la charca homónima. Por la parte norte del término cruzan de este a oeste el arroyo de Valdelazarza, procedente de Villaverde, y el arroyo de la Gavia de Valbellido, uno de los más largos de La Armuña, que nace en la laguna Valbellido en Gomecello. Este último arroyo posee un nombre diferente y más conocido por los lugareños a su paso por Pedrosillo: la Rebollada, el cual ya figuraba en documentos del siglo XVIII como «rreoyada» o «regoyada» y, además, da nombre a la asociación cultural del pueblo. A excepción del arroyo de Valdelazarza, el resto confluyen en el Prado del Arroyo, en la frontera noroeste con La Vellés, donde se forma una charca durante el invierno y la primavera. Por último, rozando ligeramente por el norte, encontramos el arroyo de la Arena. Todos estos arroyos y regatos mencionados van a dar a la charca de Santa Lucía de La Vellés, cuyas aguas discurren hacia el arroyo de la Pedraza, continúan hacia el arroyo de la Encina y, finalmente, desembocan en el río Tormes. De todos ellos, tan solo corre el agua durante todo el año por el regato de la Rebollada. La función primordial de estos arroyos es el drenaje de los terrenos, de forma que las condiciones para la agricultura sean las adecuadas. La vegetación solo se encuentra en los propios cauces, puesto que las tierras se labran hasta el mismo borde de los regatos.

La laguna de Pedrosillo

Son cuatro las charcas y lagunas repartidas por todo el municipio de Pedrosillo. La más alejada del casco urbano es la Laguna de las Fuentes, comentada hace unas pocas líneas. Una fuente de manantial situada junto a la carretera nacional solía abastecerla de agua. Antiguamente la gente podía disfrutar de un refrescante chapuzón en sus aguas, pero la sobreexplotación como bebedero para el ganado ha hecho que en la actualidad no sea apta para ese uso. Aun así, a la par que la reforma de la laguna del pueblo, en 2017 se excavó y se retiraron varias capas de tierra y lodo del centro de dicha laguna, lo que permitió volver a abrir la salida de aguas del subsuelo. Es fácil acceder a ella pues se encuentra junto al camino del Torpedero que parte de la Calzada Vieja. En el Prado del Cerrado hay dos charcas, que suelen tener agua tan solo en época de lluvias: la Laguna Alta, donde se sitúa la fuente, y la Laguna Baja, más grande que la anterior y situada junto a la autovía. Esta charca tiene un diámetro máximo mayor que la de las Fuentes, pero, al no tener actualmente salida del acuífero, pasa gran parte del año seca, mientras que la otra no.

La más importante, sin duda, es la laguna que se sitúa al norte del casco urbano (referida en algunos textos como *Laguna Nueva*). Es una de las lagunas más grandes de La Armuña, aunque hasta el año 2017 costaba apreciarlo, pues existía una abundante vegetación entre la que destacaba la presencia de espadaña *(Thipa latifolia)* que invadía gran parte de la superficie de la laguna. En los últimos años se ha ido cuidando el entorno entre la laguna y el pueblo, y al día de hoy, gracias a una plantación de chopos que proporciona sombra y un total de nueve merenderos con asientos, se forma un agradable espacio recreativo. Además del agua de lluvia y la salida de manantial, la laguna cuenta con una curiosa e importante aportación de agua. El pueblo no cuenta con ningún sistema de canalización subterránea de aguas pluviales, hay tan solo dos o tres aberturas en el suelo de algunas calles, pues estas no drenan correctamente. Tal sistema no existe, puesto que no es necesario. Debido a que la mayor parte del pueblo se encuentra ligeramente a más altitud que la charca, muchas de las calles dirigen el agua de lluvia hacia un punto situado en el cruce de la calle de Abajo y la de los Lavaderos. Allí se halla una gran alcantarilla de la que parte una ancha tubería que vierte toda el agua que recoge en la laguna. De esta forma se recupera mucho más rápido de toda el agua perdida durante el estío. Si la laguna llegase a desbordar, dos desagües que parten hacia el noroeste y hacia el oeste liberan del exceso de agua que pudiera existir. Este segundo desagüe también va a dar al Prado del Arroyo, al igual que los otros tres arroyos mencionados.

Antiguamente casi todos los vecinos tenían sus redes de arquillo, su butrón y sus barcas para la pesca de la tenca. Los quintos todos los años pescaban con los trasmallos en esta laguna y en otras cercanas para vender lo obtenido y poder pagarse las quintadas. Sobre los años 1945-1950 se plantaron los álamos que dan sombra actualmente en la parte este. Fue allí, en la sombra de los álamos, donde trabajaba un reparador de sillas de anea que traía espadañas para poder hacer sus restauraciones, puesto que en el pueblo no había. De esta manera, plantaba sus semillas de anea a la orilla de la laguna para poder usarlas un año tras otro. Desde hace algunas décadas, las espadañas han ido cercando y cubriendo la laguna sin control, como se ve en las imágenes aéreas del capítulo anterior. Si no se le hubiese puesto solución a esta progresiva invasión de la laguna, esta podría haberse convertido en un humedal. Este cercamiento de las aneas produjo un pequeño istmo entre la parte este de la laguna, más estrecha y dónde se encuentra una de las dos salidas del manantial, y la oeste, más ancha y menos cubierta por espadañas, que es donde se encuentra la segunda. La anea tiene un rizoma muy grande y hace que el barro se extienda y se levante, y ocupe el lugar que tenía entonces el agua.

El verano y otoño de 2017 serán recordados como una de las más importantes fechas en la historia de la laguna. Tras varios años consecutivos de grandes sequías, en el verano de dicho año se cumplieron los peores pronósticos y la gran escasez de lluvias produjo una desecación completa de la laguna, situación no vista desde hacía muchos años. Esta situación catastrófica para la agricultura y la ganadería tuvo al menos su lado bueno y, con la posibilidad de acceder a toda la superficie de la laguna y la concesión de los permisos por los que desde hace tantos años se había luchado en el pueblo, el 23 de octubre comienzan los trabajos de limpieza y retirada de los juncos y el lodo que desde 1945, última limpieza integral realizada, se habían acumulado. Los trabajos se prolongaron durante un mes y a mediados de noviembre se observó cómo comenzaba a manar el agua de los manantiales que abastecen a la laguna y que habían quedado cegados por el exceso de lodo que se había ido acumulando. Al año siguiente, después de las abundantes lluvias del invierno y el verano, la laguna mostró un aspecto extraordinario. El 2 de agosto, con motivo de las fiestas, se trajeron canoas para que la gente pudiese navegar a golpe de remo por la renovada laguna. Algunos aprovecharon para bañarse en ella, una imagen que ninguno de los vecinos del pueblo, ni siquiera los más mayores, había visto nunca.

Son muy numerosos los caminos que discurren por todo el término municipal de Pedrosillo. Desde el punto de vista histórico, es interesante darse cuenta de que un gran número de ellos tienen siglos de antigüedad. Algunos caminos cuyas denominaciones actuales son camino del Barrero, de Carrearmenteros, de Santa Lucía, etc. también existían con esos nombres en los libros del Catastro de la Ensenada de 1752. Desde el punto de vista morfológico, son variados en tamaños y características. Los hay de tierra, de arena, de grava, de piedras… Dependiendo del material percibimos colores marrones, blancos o incluso rojos, en aquellos lugares en los que afloran las arcillas. Algunos son anchos y lisos, otros estrechos y con vegetación entre las roderas. Hay algunos caminos que comunican poblaciones; muchos de los que antes lo eran, hoy en día son carreteras; otros son nuevos, creados tras la concentración parcelaria; algunos tan solo sirven para dar servicio a las parcelas alejadas de caminos más importantes; y otros muchos sirven y han servido tradicionalmente para la trashumancia y el paso de reses de ganado. Estos últimos, llamados vías pecuarias, tienen un encanto especial, pues suelen ser antiguos y estar llenos de historia. A continuación veremos algunos datos generales acerca de ellos y conoceremos aquel que cruza nuestro pueblo.

Existen diferentes nombres para referirse a las vías pecuarias atendiendo a las características de estas. Así, si las vías pecuarias tienen 90 varas castellanas de ancho (75 metros) se las denomina *cañadas*, aunque en el lenguaje cotidiano este término se ha extendido a todos los tipos de caminos destinados a la trashumancia ganadera. Si el ancho es de 45 varas (37,5 metros), se las denomina *cordeles*; si es de 25 varas (20 metros), estamos hablando de una *vereda*; y si la anchura es inferior a 20 metros, el nombre que reciben es *colada*. Estas últimas, además, reciben diferentes nombres dependiendo de la comarca en la que se esté. Puede ocurrir también que el ancho sea variable en una misma vía pecuaria, dependiendo del tramo en el que nos encontremos. Por La Armuña, partiendo de Salamanca, pasan cinco vías pecuarias. De este a oeste: Cordel de Medina, Colada Calzada Vieja de Valladolid, Cordel de Toro, Cañada Real de La Plata o de La Vizana y Vereda de Ledesma. De la Vía de la Plata ya hablamos brevemente con anterioridad, aunque es preciso aclarar que la Calzada Romana de La Plata no coincide exactamente con la Cañada Real de La Plata. Ahora pasaremos a hablar de la vía pecuaria que pasa por Pedrosillo: la Colada Calzada Vieja de Valladolid.

Esta, en su trayecto por la provincia de Salamanca, parte de la capital y, tras atravesar el polígono industrial de Los Villares de la Reina, pasa por Castellanos de Moriscos, Pedrosillo el Ralo, Pajares de la Laguna, La Orbada, Parada de Rubiales y continúa hacia Cañizal. La longitud hasta llegar al límite con la provincia de Zamora es de 31,2 km de los cuales 25,5 son camino y 5,7 están asfaltados. Dadas las características topológicas de La Armuña, el desnivel de este camino no es muy acusado, de manera que encontramos tan solo una variación de unos 60 metros entre su parte más alta y su parte más baja. El punto de mayor altitud se encuentra a unos dos kilómetros antes de llegar a Castellanos de Moriscos. Pedrosillo se encuentra en uno de los puntos de menos altitud, solo superado por La Orbada y el límite con el término de Cañizal. El topónimo nos ilustra sobre su origen, pues, aunque actualmente es una colada, antiguamente formó parte de una calzada que unía Salamanca con Valladolid. Encontramos referencias a esta vía pecuaria ya desde el siglo XVIII en la *Guía de Caminos de España* de José Matías Escribano, en la que se describe como «camino de rueda, apta para carros, frente a los sencillos caminos de herradura». En el mapa provincial de Tomás López de 1783 aparece como *camino de Valladolid,* en la minuta topográfica de 1902 figura como *Calzada Vieja de Salamanca a Valladolid* y en el mapa topográfico de 1949 aparece como *Vereda Vieja de Salamanca a Valladolid.* La categoría de colada se le asigna en los años 60 del pasado siglo. Este camino fue muy transitado por personas y animales de ganado hasta la construcción de la carretera de Valladolid a mediados del siglo XIX, cuyo trazado discurre paralelo, aunque de forma más rectilínea. Este camino fue muy usado para el paso de todo tipo de ganado, si bien no fue nunca relevante en cuanto a la trashumancia, puesto que para este fin se utilizaban los cordeles cercanos de Toro y de Medina del Campo.

Vamos a trazar a continuación el recorrido de este camino a través del término municipal de Pedrosillo. El lector puede usar los mapas que se encuentran al comienzo del libro para ilustrarse. La Colada Calzada Vieja de Valladolid entra por el suroeste de Pedrosillo, por el pago denominado Prado Ancho, se llama camino de los Árboles. Enseguida cruza la carretera nacional y discurre paralelo al arroyo de Prado Ancho hasta llegar al camino del Torpedero a la altura de la Laguna de las Fuentes. Tras pasar unos chalés y la antigua escombrera, esta vía pecuaria se dirige hacia el casco urbano y recibe un nombre casi idéntico al que hemos visto: Calzada Vieja. Entra en el pueblo por el suroeste (es el tramo justo anterior al casco urbano el que presenta una anchura mayor) e inmediatamente después gira a la izquierda para salir a la carretera de La Vellés por la calle del Trébol. Giramos de nuevo a la izquierda y avanzamos unos metros por la carretera hasta tomar el primer camino que sale a la derecha. Con anterioridad a la concentración parcelaria, el camino discurría recto y bordeaban la laguna por el este, pero desde finales de los años 50 se desvía parte del camino hasta configurarse como hoy lo conocemos (compárense las fotografías aéreas de 1954 y de los años 70 que vimos hace

Tramo de la Calzada Vieja más cercano al pueblo

dos capítulos). Desde aquí avanzamos junto a la laguna de Pedrosillo a través del camino denominado de los Hoyos. La Colada Calzada Vieja abandona el término municipal de Pedrosillo después de subir por la Cuesta del Moño, que limita con el término de Villaverde de Guareña. El camino que discurre desde aquí hacia Pajares de la Laguna es un tramo que puede considerarse parte de la auténtica calzada, puesto que no se vio alterada por la concentración parcelaria. Esta parte del camino es más estrecha y más baja que las tierras colindantes y, aunque más angosto, tiene más encanto histórico.

La flora

Si se observa a Pedrosillo desde la distancia y desde varios ángulos, es característico que, además de ciertos edificios altos se aprecie también un gran número de árboles. Esto es algo que no ocurre con el resto de los pueblos de alrededor. Encontramos bastantes árboles en la laguna, en el cerro de la iglesia, en la ermita o en sus dos parques. En la laguna, como ya se vio, encontramos unos álamos en un extremo de ella, además del conjunto de chopos rodeando parte de su perímetro; mismo tipo de árbol que se encuentra junto a la ermita. Sin embargo, la variedad vegetal es escasa en el municipio. Salvo estas zonas mencionadas y algunos prados, el resto del término se encuentra ocupado por construcciones y tierras destinadas a la agricultura.

Las zonas de pradera son aquellas con mayor valor ambiental, son ecosistemas creados por la acción del hombre para el desarrollo de la ganadería. Estos prados están constituidos por un manto de plantas herbáceas verdes de raíces perennes que forman un continuo césped. La flora herbácea predominante es la gramínea, por ejemplo, las especies (Cardamine pratensis), (Centaura nigra) o (Festuca arundinacea), además de algunas hierbas altas. Las zonas de pradera que se encuentran en el término de Pedrosillo son las Eras Grandes y las Eras Chicas, junto a la laguna y a ambos lados de la carretera de La Vellés; Prado del Cerrado, al otro lado de la autovía y en línea con la ermita; Prado Ancho, al suroeste del término; Prado de los Praidones, al noreste del término, junto a la falda de la Cuesta del Moño; y el Prado del Arroyo, al noroeste en el límite con el término de La Vellés. El Prado del Cerrado es una zona de vegetación herbácea con presencia de algunos juncos, que se utiliza para el pastoreo del ganado y cuya superficie, que se extiende desde la autovía hasta el límite con el término de Gomecello, es de 11,72 hectáreas. Es una zona de fácil acceso al agua subterránea y es por ello por lo que varios pozos, además del sondeo que abastece de agua al pueblo, se encuentren en él. Esto implica que sea una zona de prados húmedos durante ciertas épocas del año, hecho que se subsana en gran parte gracias a la zanja que recorre parte de su perímetro y que sanea el terreno. La zona de Prado Ancho y Las Fuentes, que ocupa una extensión de 5,06 hectáreas a ambos lados de la carretera nacional, también se destina al pastoreo del ganado y está cubierta exclusivamente por vegetación herbácea.

La fauna

La fauna de Pedrosillo es considerablemente más variada que la flora. El grupo más representativo, sin duda, es el de las aves, y las especies que lo constituyen son aquellas asociadas a los medios agrícolas de secano. Destaca como protagonista la reina de la estepa: la avutarda, cuyas poblaciones son muy abundantes en la zona. Es un tipo de ave que evita los lugares muy poblados y que suele escoger zonas llanas y abiertas de cereal o prados para vivir. Las cigüeñas surcan los ciclos, mientras que los jilgueros y los ruiseñores nos amenizan con sus cantos, sin olvidar a las abubillas, oropéndolas y golondrinas. Un caso especial es el del milano real, tipo de pájaro muy común de la provincia de Salamanca, pero cuya población está sufriendo un importante descenso a nivel nacional, y el hábitat en el que se encuentra Pedrosillo no es el más adecuado para esta especie. Algunas de las amenazas a las que está sometido el milano real son el envenenamiento de forma directa o indirecta por ingesta de animales envenenados, desaparición de grandes árboles en los que puedan anidar o, incluso, electrocución. Otras aves que podemos encontrar también son el sisón común, el aguilucho cenizo, el aguilucho pálido, la perdiz patirroja y la codorniz. Existen ciertos tipos de aves cuya existencia está estrechamente ligada a las construcciones tradicionales, como pueden ser golondrinas, gorriones, palomas y lechuzas.

En cuanto al grupo de los mamíferos salvajes (no usados para la ganadería ni como animales domésticos) los más habituales son los roedores y murciélagos. Ratones, topos y topillos son muy comunes en Pedrosillo, hasta el punto de que en 2007 se produjo en este y otros muchos municipios del noreste de la provincia una plaga de topillos que pudo ser erradicada en 2008. Tampoco hay que olvidarse del zorro, el lobo, el erizo, la liebre y el conejo, se encuentran gran número de ejemplares de estos últimos en las pequeñas laderas de la autovía, ligeramente elevada con respecto a los terrenos colindantes.

Es de especial interés analizar el tipo de fauna que hay asociada a las charcas del pueblo, especialmente la laguna del norte del casco urbano. Ranas y sapos son los anfibios característicos que aparecen en estas zonas acuáticas y, de los reptiles, es muy común la culebra bastardo, aunque esta puede encontrarse de vez en cuando incluso en algunos caminos o calles de las inmediaciones de la laguna. A pesar de las desventajas que se han expuesto en cuanto a la proliferación de la anea en la laguna, no todo eran consecuencias negativas. Este hecho provocó que existiese otra fauna que antes no había: aviones, garzas y vencejos que venían a comer y dormir aquí. Muy importantes también el ánade real, la focha común y la focha carirroja. En cuanto a peces, antes había un gran número de tencas, pero estas murieron en una devastadora tormenta a principios de este siglo. También encontramos cangrejos y carpines rojos que alguien echó más tarde, estos fueron el único tipo de pez de la laguna hasta que esta se secó y se reformó en 2017. Al cierre de este libro todavía no había tenido lugar ningún tipo de acción repobladora de la fauna acuática de esta laguna.

Iglesia parroquial de San Andrés

En este capítulo y el siguiente vamos a hablar en profundidad sobre los dos edificios dedicados al culto religioso que se encuentran en nuestro pueblo. Estos son la iglesia parroquial, en honor a san Andrés Apóstol, y la ermita de Nuestra Señora de Gracia, ambos patrón y patrona de Pedrosillo. Estas son también las edificaciones más antiguas. La iglesia fue construida en el siglo XVI y, por tanto, es el inmueble con más años en pie del casco urbano. Por otro lado, la ermita, del siglo XV, es el edificio más antiguo del municipio. Los templos cristianos son los edificios más característicos de las zonas rurales. En La Armuña todos los pueblos cuentan con iglesia y, en muchos de ellos, ermita (o ermitas). Incluso numerosas alquerías y poblados ya desaparecidos debieron de contar con pequeñas iglesias o, al menos, capillas. Por tanto, es y siempre ha sido un elemento característico del paisaje rural, íntimamente ligado a la vida del campo.

Comenzaremos hablando sobre la iglesia parroquial de San Andrés Apóstol. En primer lugar, daremos unas pinceladas sobre sus principales características y su historia desde su construcción hasta el presente. Después, hablaremos sobre las capellanías que han existido en Pedrosillo y, finalmente, terminaremos el capítulo describiendo su arquitectura y su decoración interior y exterior. La iglesia se encuentra al final de la calle homónima, en el extremo suroeste del pueblo y situada sobre una elevación del terreno que también sustenta el cementerio municipal, el cual tiene una superficie de 735 m^2 y una ocupación del 80 %. La superficie de esta elevación que no está ocupada por la iglesia ni por el cementerio forma parte de la necrópolis de la iglesia de San Andrés y está catalogada como perímetro de protección arqueológica. Su inclusión en ese plan de protección se debe a que es considerada una zona que incluye trazas o espacios cuyo denominador común es la alta probabilidad de contener restos de interés arqueológico, en este caso hallazgos de motivos funerarios. En esta pequeña colina también advertimos dos cruces situadas una hacia el este y otra delante de la portada (cuya altura ahora es algo menor, pues en marzo de 2018 se desplomó debido a fuertes vientos y hubo que rebajarla para eliminar la parte dañada). Esta es granítica y hace de calvario, mientras que la primera mencionada recuerda a los caídos de la Guerra Civil. En la base de esta se puede apreciar el escudo franquista con el águila de san Juan en una de las caras y unas marcas de lo que pudo ser una losa con algún tipo de epígrafe al respecto.

Se cree que esta iglesia se levantó en el lugar donde se albergaba la antigua parroquia medieval a la que se hacía referencia en el escrito de 1240. Esta historia se repite en todos los pueblos de La Armuña: cuando estos comienzan a configurarse en la Edad Media debido al proceso repoblador, se construyen sus iglesias mayoritariamente a lo largo del siglo XII y principios del XIII. Muchas de ellas se sitúan en el centro de las aldeas, se configuran las calles, las casas y, en definitiva, la vida de sus habitantes en torno a ellas. Es en el siglo XVI y principios del XVII cuando desaparecen y se construyen las que se han conservado hasta nuestros días. Estas afirmaciones son comunes a todos los pueblos de la comarca, aunque dos de ellos, Forfoleda y Torresmenudas, son los únicos que conservan elementos de las iglesias medievales: la portada y el arco triunfal en el caso del primero y solo la portada en el caso del segundo.

La iglesia parroquial de San Andrés tiene una superficie de 690 m² y con gran certeza se sabe que fue construida en el siglo XVI, hay dudas a la hora de acotar la fecha de su levantamiento. Algunas fuentes hablan de la segunda mitad de siglo y posiblemente fue el año 1574 en el que se finalizó su construcción, lo cual justificaremos a continuación.

Uno de los documentos más antiguos e importantes que consta sobre la actual iglesia de Pedrosillo el Ralo es del 2 de julio de 1574 y está incluido dentro de un libro de protocolos notariales guardado en el Archivo Histórico Provincial de Salamanca. En él figura que, ante el notario Antonio de Vergas, se da por concluido el pago de las obras al albañil Pedro Martín. No se aprecian detalles sobre la magnitud de la obra, pero no parece que fuese del templo completo. Posiblemente se hable aquí de una parte de la construcción (con probabilidad la última) de la nueva iglesia, en la cual participó este albañil. En el documento se menciona varias veces que se le debía de pagar por los trabajos de albañilería, pintura y por los andamios que se colocaron para allanar el templo. El que era mayordomo de la iglesia en ese momento, Francisco Laso, le pagó tres mil maravedíes y Cristóbal Escudero, anterior mayordomo, le pagó otros tres mil. En total la obra costó 12 500 maravedíes. Si el lector vuelve a la última página del capítulo *Fundación y primeros escritos*, verá que los libros de bautizos, bodas y defunciones más antiguos conservados comienzan en el año 1575. Además, el beneficiado del pueblo en 1640 cree importante hacer un compendio sobre los mandatos más importantes que figuran en el libro de fábrica de la iglesia, eran los más antiguos del año 1574. Es por esto y por lo anteriormente expuesto que parece muy probable que la iglesia terminase de construirse y se comenzara a usar entre 1574 y 1575.

Más tarde, en otro documento del 10 de mayo de 1595 se nombra a Bartolomé de Pierredondo como el autor de una de las campanas de la iglesia, la cual tuvo que ser cambiada por otra, puesto que la primera «no se ajustó al contrato». No debió de ser un hombre muy competente en su trabajo, puesto que siete años antes cesaba como socio para hacer las campanas del obispado de la villa de Almeida, en el reino de Portugal. Es por ello por lo que su hermano Vicente de Pierredondo, vecino de la villa de Zamora, se encargó de hacer la campana que Bartolomé no supo hacer. Para ello el mayordomo de la iglesia le entregó 11 quintales (unos 500 kilos) de metal que empleó para forjarla.

Según los datos encontrados, la iglesia tardó unas cuantas décadas en tener su primer retablo y en la actualidad podemos encontrar cinco: el Retablo Mayor, que es el original del siglo XVII y el primero en construirse, dos laterales y otros dos colaterales que se incorporaron al comenzar el siglo XVIII. En ciertos artículos se recoge que, al igual que muchos otros retablos realizados en esa época, el de Pedrosillo ha desaparecido. Algunos autores como Rodríguez de Ceballos y Casaseca Casaseca sostienen esta tesis, aunque en este libro vamos a asumir que esto no es cierto y que el retablo que se encargó en la primera mitad del siglo XVII es el que existe en la actualidad. En primer lugar, en un artículo de Portal Monge, se nos dice que no es verosímil pensar que dicho retablo desapareció, puesto que el actual cumple todas las características que se describen en el contrato que se hace para su construcción y además el estilo es el mismo que practicaban sus autores, de los cuales hablaremos a continuación. En segundo lugar, si el retablo actual se hubiese elaborado posteriormente, es de esperar que hubiera registro de ello en los libros de fábrica de la iglesia parroquial o en los protocolos notariales de la provincia, en ninguno de los cuales se ha encontrado referencia alguna.

El Retablo Mayor fue encargado por el mayordomo de la iglesia de Pedrosillo, Antonio del Teso, el 2 de diciembre de 1634 a Antonio González Ramiro, ensamblador, y a Antonio de Paz, escultor, ambos vecinos de Salamanca y también autores del retablo que había entonces en la parroquia de San Martín de Salamanca (el cual se perdió debido al incendio del 2 de abril de 1854). El contrato se realiza ante el escribano real Juan de Castañeda, y fueron testigos Gonzalo y Juan López, herreros de Salamanca. El retablo que se hace en

Pedrosillo es similar al de la iglesia de San Martín (de hecho, el mayordomo Antonio del Teso exigió expresamente que fuese idéntico en cuanto a estilo), aunque de proporciones más modestas, y su precio fue de 400 ducados a pagar en tres tercios: al comienzo de la obra, al finalizarla y cuando estuviera tasada y rematada. Como curiosidad, el mayordomo de la iglesia de Pedrosillo estaba tan maravillado con el retablo de San Martín que encargó el de Pedrosillo cuando ni siquiera aquel había sido inaugurado. En el contrato se informa de que la clavazón y las grapas para asentar el retablo tienen que correr por cuenta del mayordomo de la iglesia, así como el coste de la cama para el maestro y los oficiales durante los días que tardaran en colocarlo, y el traslado del retablo hasta Pedrosillo. Se establece que tanto el retablo como La Gloria deben estar acabados el 11 de noviembre de 1635 y, si no fuese así, se rebajaría el precio en cien ducados. Además, si los maestros hiciesen alguna mejora en la obra, la regalarían a la iglesia.

Los dos autores de este retablo tuvieron gran renombre durante la primera mitad del siglo XVII en Salamanca debido a la cantidad y calidad de sus obras. Antonio González Ramiro, el ensamblador, nació hacia 1580 y falleció en 1640. Llegó a ser el ensamblador y escultor oficial del cabildo catedralicio de Salamanca. El primer retablo que realizó fue en 1611 para la parroquia de Sancti Spiritus. Algunos de los más importantes que se le atribuyen fueron el de la iglesia de San Miguel en Peñaranda de Bracamonte en 1618, el mencionado anteriormente de la parroquia de San Martín en 1621 o el de San Agustín y San Gregorio para una capilla de la Catedral Nueva. Otra obra cumbre suya hubiese sido el retablo de la iglesia de San Esteban, que habría sido costeado por el duque de Alba, don Antonio Álvarez de Toledo y Beaumont. Sin embargo, su fallecimiento no hizo posible que fuese finalmente elaborado por él. Antonio de Paz fue un importante escultor contemporáneo a nuestro ensamblador y hombre suyo de confianza. Nació a finales del siglo XVI y murió en 1647. Su hermano Andrés de Paz también fue un escultor y ensamblador de cierto prestigio. Se cree que Antonio de Paz aprendió también el oficio de ensamblador de González Ramiro, puesto que a la edad en la que comenzaba a asimilar enseñanzas no había otro maestro en Salamanca comparable a él. La primera obra de Antonio de Paz fueron dos tablas de pintura para la sacristía de la Catedral Nueva que datan de 1615. Son numerosas las tallas que realizó, como son las de San Agustín y San Gregorio que hemos mencionado al hablar de González Ramiro o la de Santa Teresa de la catedral de León.

Hubo que esperar unos años para que el retablo de Pedrosillo recibiese su dorado. Es el 5 de julio de 1640 cuando el provisor de Salamanca, Dr. D. Luis de Toral, aprueba que se dore y se pinte el Retablo Mayor. Hubo una subasta para la ejecución de la obra en la que fue el pintor Juan González de Castro el que finalmente se encargaría, pues su puja fue mayor que la del otro postor, el pintor Lorenzo Aguilar. El remate de la obra costó 3100 reales, de los cuales mil se pagaron al comienzo de la obra, otros mil durante el periodo que esta duró y el resto en dos pagos los días de San Juan de junio de los dos años siguientes. El 13 de julio de 1640 el mayordomo de la iglesia, Lorenzo Sánchez, recibe las fianzas del pintor y el día 19 se firma el contrato ante el mismo escribano y los mismos testigos que hubo para la obra del retablo, además de nombrar fiador a Francisco Monge Díaz, batidor de oro. La obra debía estar acabada el día de Pascua de Navidad y, si Juan González de Castro no la hubiese terminado en esos plazos, se le habría penalizado con el pago del doble del precio estipulado. Al igual que los autores del Retablo Mayor de Pedrosillo fueron también los del retablo de la iglesia de San Martín de Salamanca, este pintor también fue el encargado de hacer el dorado en ambas iglesias, primero el de San Martín y un año después el de nuestro pueblo. Debió de fallecer al poco de terminar su labor en Pedrosillo, pues su viuda, Jerónima Llorente, vecina de Valladolid y también pintora, recibió el 26 de abril de 1642 del mayordomo de la iglesia 400 reales por el trabajo de pintura de su marido.

Llegados a este momento, es imprescindible mencionar uno de los mayores motivos de orgullo que puede tener nuestro pueblo. Esto es que tres miembros de una de las familias de arquitectos más reconocidas en nuestro país dejasen parte de su legado en la iglesia y la ermita de Pedrosillo: Joaquín de Churriguera, su hermano Alberto de Churriguera y su sobrino Manuel de Larra Churriguera. Esta familia, de origen barcelonés, dio lugar al linaje castellano de los Churriguera tras establecerse en Madrid José Simón de Churriguera el Viejo. En primer lugar, hablaremos de Joaquín, que llegó a Salamanca en 1692 junto con su hermano José Benito, al cual ayudaría en la realización del retablo mayor de la iglesia de San Esteban. Joaquín realizó algunas obras en ciudades como Zamora, León, Ávila, Valladolid, Plasencia e, incluso, Bilbao, pero su prestigio fue notable en Salamanca, donde fue maestro mayor de la catedral, director de las obras de la iglesia y el convento de San Esteban, y arquitecto del Ayuntamiento de Salamanca. Veremos en el próximo capítulo que su hermano Alberto de Churriguera fue el encargado de realizar el retablo de la ermita de Pedrosillo en los últimos años del siglo XVII. El resultado debió de satisfacer tanto al mayordomo Juan Martín que el 9 septiembre de 1700 se encarga el diseño de dos retablos laterales para la nave de la iglesia a Joaquín de Churriguera.

El pueblo de Pedrosillo también debió de quedar contento con estos retablos laterales, pues en 1705 se le encargan otros dos colaterales para la iglesia, que se sitúan a ambos lados del Retablo Mayor. Los dos primeros pueden verse en el anexo fotográfico en la parte superior de la segunda página de los interiores de la iglesia parroquial y los colaterales en la cuarta página. Sin embargo, este segundo encargo trajo algunos problemas que terminaron con un pleito que se prolongó excesivamente en el tiempo. El 13 de julio de 1705 es cuando se otorga la escritura de obligación y el contrato de obra entre el mayordomo de la iglesia parroquial, que por entonces era Francisco de Salinas, y los autores Joaquín de Churriguera Ocaña y Pedro Núñez Ribadeneira. Estos se comprometieron a realizarlo según la traza acordada y a tenerlos terminados a finales de marzo de 1706. El precio que se fijó fue de 3300 reales de vellón. El dibujo de la traza que se debía seguir no se realizó de forma idéntica en la realidad, pues era frecuente que los maestros introdujeran mejoras o cambiasen ciertos motivos si consideraban que el resultado final podría tener una belleza y una perfección mayor. Esto no solía causar ningún problema y las mejoras eran agradecidas, aunque en este caso nos encontramos con una excepción. El mayordomo Francisco de Salinas, una vez que vio los retablos terminados y asentados, no quiso pagar los 50 ducados que los maestros pedían a mayores sobre el precio original por los cambios introducidos. El 15 de marzo de 1707 otros dos maestros tasan las obras, pero esta sigue sin ser admitida por el mayordomo. A esto siguió un interrogatorio el 17 de mayo y una nueva reiteración de los autores para que se les pagase lo que se les debía el 27 de septiembre. El pleito se detiene hasta 1712, cuando Pedro Núñez vuelve a solicitar el dinero que se le debe. El beneficiado de Pedrosillo no solo no había pagado las mejoras, sino que se había quedado con 100 reales que faltaba por pagarles del ajuste inicial de la obra. Él mencionaba defectos, mientras que los autores defendían que eran mejoras. El obispo de Salamanca, don Francisco Calderón de la Barca, incluso tuvo que realizar una visita a la iglesia de Pedrosillo el 16 de junio de 1709, en la cual calificó a los retablos de bajos y desproporcionados. Sin embargo, el maestro de obras de la Catedral de Salamanca, don Pantaleón del Pontón, reconoció, tras visitar los retablos, que las mejoras eran adecuadas y debían ser pagadas. Lo último que se conoce, puesto que el documento termina ahí y no se ha encontrado continuación, es que el 25 de junio de 1712 Pedro Núñez insiste en que se le pague lo que se le debe, incluidas las mejoras, puesto que los tasadores estaban de acuerdo en que debían de abonarse.

Iglesia parroquial de San Andrés

A partir de esa fecha, la iglesia ha necesitado de dos importantes rehabilitaciones, uno y tres siglos después. En el siglo XVIII, se lleva a cabo su primera gran reforma y esta vino de la mano, nuevamente, de otro miembro de la prestigiosa familia anteriormente mencionada: Manuel de Larra Churriguera, el cual la lleva a cabo en 1749. Este arquitecto y escultor salmantino es conocido por haber participado en la conclusión de la construcción de la Catedral Nueva de Salamanca y haber diseñado las estanterías de la biblioteca de la universidad, además de colaborar en algunos lugares de Cáceres como la iglesia del Monasterio de Guadalupe o la catedral de Coria. El estado de la iglesia anterior a esta reforma debía de ser crítico, pues las paredes estaban apuntaladas y sostenidas por vigas para evitar su derrumbe. En 1750 figura el pago de los dos arcos que se hicieron en ella con piedras de cantera extraídas para la ocasión. También se dice que además de las obras de la fábrica de la iglesia, se adecenta el exterior de la iglesia enguijarrando el terreno. No sabemos cuántos años duraron estas obras o si se hicieron en varias fases, pero en los muros exteriores que se encuentran debajo del portalón encontramos otras dos fechas cercanas en el tiempo: una en el arco oriental, 1764, y otra en el occidental, 1797. Quizá sean inscripciones ligadas a la reforma o simplemente fechas de elementos decorativos añadidos posteriormente. Debajo de la segunda fecha se puede leer *Capilla de Ánimas* por lo que, junto con el arco que hay delante de la puerta y cuyas piedras están numeradas por el lado de dentro, pudiera ser que estos añadidos hubiesen sido trasladados desde otro u otros lugares. También hay constancia de que un año antes de la restauración, en 1748, se encarga, 88 reales de madera para componer la capilla mayor de la iglesia.

En 1833 parece tener lugar la construcción del cementerio, aunque la información que se ha podido encontrar es confusa. En cartas entre el gobernador del Obispado de Salamanca y el párroco de Pedrosillo el 9 y 11 de mayo de dicho año, vemos cómo este cura pide ciertas concesiones a su persona en materia económica y religiosa. La razón es que «por la última circular de nuestro Diocesano se nos hace saber la soberana resolución en que se nos manda poner en ejecución la construcción de cementerios». La respuesta informa de que «se concede facultad al párroco de Pedrosillo el Ralo para disponer de los caudales fábrica a efecto de construir el cementerio como también para bendecirlo». Lo sorprendente son los documentos que vienen adjuntos a estas cartas: un plano y una descripción del lugar que nada tiene que ver con el cementerio actual. El plano muestra un cementerio de planta rectangular con una puerta de acceso mirando al norte y una pequeña capilla en el otro extremo, con dos espacios para sepulturas de párvulos a ambos lados. Este dibujo representa un cementerio totalmente diferente del que hoy en día se encuentra junto a la iglesia. El documento adjunto del 15 de mayo de 1833 describe de forma manuscrita las características del dibujo anterior. Se indica que «debe de haber espacio para setenta y tantas sepulturas, número más que suficiente el de probabilidad de muerto de un septenio». No sabemos en qué lugar se quería levantar este cementerio, pero nos indican que «el sitio que se ha destinado es el más a propósito habidas todas las consideraciones en semejantes circunstancias» y cuyo modelo había sido verificado por un profesor de medicina de Salamanca, entendemos que para que las condiciones de salubridad fuesen las más adecuadas. Por alguna razón finalmente no se lleva a cabo la construcción de este modelo, aunque sí sabemos que se procede a su edificación, puesto que en las cuentas de 1833 se entregan 350 reales a Sebastián Gorjón por la obra del cementerio, se paga al comisionario de la Junta de Sanidad por reconocer y marcar el terreno de este, y se da cal al interior y exterior de sus paredes. En las cuentas del año siguiente también figura que se paga la cruz que presidirá el cementerio.

Las noticias que aparecen en la prensa de finales del siglo XIX resultan desalentadoras. En ellas se relatan robos de pequeña magnitud de ciertos elementos valiosos del interior del templo. Ropas, alhajas, manteles o pequeñas cajas ornamentales son parte del botín que se llevaban. A pesar de ello, realmente debían de ser hurtos menores, puesto que, en 1923, Antonio García Boiza, además de describir a la iglesia como humilde en su condición y aspecto, comenta que tiene juegos de vinajeras, incensarios y naveta de plata de orfebres salmantinos del siglo XVIII, además de ropas muy buenas y vistosas.

Ya en el siglo XX, el padre agustino César Morán comenta acerca de la sacristía que esta posee varios cuadros de santos padres y uno de Farinelli que representa a Jesús con la cruz a cuestas, así como un precioso terno de terciopelo con fondos en medio tisú de oro. También, al igual que comentábamos capítulos atrás cuando hablábamos de Pedrosillo a principios del siglo XIX, este clérigo nos cuenta que antiguamente el pueblo se agolpaba alrededor de la iglesia, pero que hoy esta se halla en un extremo del pueblo sobre una pequeña altura. En la segunda mitad de este siglo, la iglesia de Pedrosillo vuelve a mostrar síntomas de que requiere una nueva renovación, puesto que el deterioro se hace realmente evidente. Francisco Morales, el 5 de septiembre de 1988, describe con gran detalle en *La Gaceta Regional de Salamanca*, dentro de su sección «En busca de nuestro patrimonio», las condiciones en las que se encuentra:

«Grandes grietas recorren toda su fábrica, la torre desafía a los fenómenos atmosféricos sin un mal tejado que la cubra y su cornisa se deshace sin que nada ni nadie lo evite, representando un gran peligro para quien por allí se acerque, como puede deducirse de las grandes piedras que yacen en el suelo. Algo se ha hecho desde la llegada del último párroco, pero mucho, mucho, queda por hacer. El retablo, dedicado al titular San Andrés, es recuperable sin gran esfuerzo económico. Sus relieves, entre los que puede verse una imagen de San Isidro con vestiduras campesinas de la época, la representación de la Gloria en la parte superior del arco mayor, con el Padre Eterno rodeado de 18 angelitos tocando cada uno un instrumento distinto, y todo el retablo, en definitiva, merecen un cuidado... Un suelo bien conservado y en él dos lápidas con relieves en las que la clásica calavera sobre las dos tibias cruzadas, representativas de la muerte, con un bonete, hablan claramente de la condición sacerdotal de los allí enterrados, habiéndolo sido, uno de ellos, el 27 de agosto de 1731, sin que conste la fecha del otro. En el coro, el «órgano del pueblo», simple e ingenioso carrillón consistente en una rueda con diez campanas de diferentes tamaños, que servía para armonizar los cánticos del pueblo».

La situación se fue agravando y requería una intervención urgentemente. Tal era el estado que el templo tuvo que cerrar sus puertas en el año 1997. En noviembre de ese mismo año dio comienzo la tan necesaria reparación que se extendió durante un periodo de nueve meses. Se arreglaron la cubierta, el suelo, los muros exteriores e interiores, se mejoró la iluminación y se limpiaron y acondicionaron los retablos y altares. Los vecinos del pueblo también colaboraron de forma voluntaria económicamente y ayudando con las tareas de limpieza. Después de un intenso trabajo, el 2 de agosto de 1998 se reabrió la iglesia en un acto al que asistió el, por aquel entonces, obispo de Salamanca don Braulio Rodríguez Plaza. Sin embargo, la torre no fue incluida en esta renovación y en 1995 fue declarada en estado de ruina. Afortunadamente, a finales de la década pasada las campanas se bajaron y se colocaron unos andamios para reparar la torre y, así, poder dar por concluida la tarea de rehabilitación del conjunto de la iglesia parroquial de Pedrosillo el Ralo para que pueda seguir muchos más años con nosotros, y sumarlos así a los más de cuatro siglos que lleva en pie.

A lo largo de los siglos, hubo un tipo de institución eclesiástica verdaderamente importante para la vida religiosa de las ciudades y los pueblos. Hablamos de las capellanías. Estas eran fundaciones en las cuales ciertos bienes quedaban sujetos al cumplimiento de misas y actos religiosos. Este acuerdo, llamado obra pía, tenía lugar entre un vecino de la parroquia y un clérigo que pasaba a ser el capellán. De esta manera, una persona dejaba en su testamento un dinero o parte de su patrimonio que se ponía en renta y así, con sus ganancias, el clérigo debía aceptar la obligación de usarlas como pago de ciertas misas y otras acciones espirituales en favor de la salvación del alma del fundador. Así se expiarían los pecados realizados en vida por esta persona, además de servir como señal de cierto prestigio social. También ha sido usado por muchos historiadores el término «economía espiritual» para referirse a este tipo de prácticas. En España el auge de este tipo de fundaciones tuvo lugar en los siglos XVI, XVII y XVIII, y tuvo mucho que ver con la cultura de la época, que hacía mucho énfasis en la muerte, la purga de los pecados y la salvación del alma. En Pedrosillo tenemos constancia de un buen número de ellas que existieron durante los siglos anteriormente mencionados. Algunas ya han salido en los capítulos anteriores y ahora completaremos la información encontrada acerca de ellas. Son varios los documentos que se conservan con relación a las capellanías de Pedrosillo, aunque ciertas contradicciones pueden dificultar su conocimiento. Las iremos mencionando por orden cronológico de aparición en textos históricos.

En documentos del siglo XVI, conocemos la existencia de la capellanía más antigua de Pedrosillo, fundada por María Alonso y que deja concretada en su testamento de 1498. En 1517, vimos que Francisco Maldonado alegaba que a él le debía de corresponder esta capellanía, puesto que era familiar de cuarto grado de María Alonso. Su testamento puede consultarse en el Archivo Diocesano de Salamanca, aunque su correcta lectura exige ciertos conocimientos sobre escritura antigua. En el siglo siguiente no encontramos más referencias a esta capellanía y al siguiente nos concretan que la carga de misas era de dos por semana. Si nos desplazamos al siglo XIX, podemos averiguar lo que decían de ella en el *Libro Becerro*: «Primeramente, fundó una capellanía en la iglesia de San Andrés de este lugar de Perosillo Ralo María Alonso vecina que fue de este dicho lugar en los nueve días del mes de septiembre del año pasado de mil quinientos y noventa y nueve, con la carga precisa de tres misas rezadas en cada semana que se deben decir en esta dicha iglesia de San Andrés. [...] renta todos los años sesenta fanegas de trigo». Encontramos discrepancia entre las dos fuentes, pues una nos habla de su fundación en torno al año 1500 y la otra en 1599. Dada la fiabilidad de la primera fuente y lo detallado de la segunda, una posible explicación podría ser que esta se refundase por algún familiar un siglo después de la lectura del testamento de la fundadora.

En el siglo XVII se mencionan dos capellanías. Una fundada por María Fernández, con carga de tres misas por semana y cuyo capellán era Bernardo Martín, del pueblo vecino de Gomecello. La segunda fue fundada por Francisco Laso y su mujer Juana García, con una misa cada viernes y cuyo capellán era Juan García Laso. De la primera no volvemos a saber más, y de la segunda encontramos más detalles dos siglos después: «Otra que fundó Francisco Lasso e Isabel García su mujer, vecinos que fueron de este lugar de Perosillo en el año de mil quinientos y ochenta y cuatro, con la carga de dos misas rezadas en cada semana de la que es patrono el Concejo de este dicho lugar y renta todos los años treinta y siete fanegas de trigo; y setenta y siete reales de vellón».

En el siglo XVIII encontramos referencias a la fundación de otras tres capellanías: una por Antonio del Teso, con 17 misas por año; otra por María Laso, con dos misas por semana; y la tercera por Juan de Armenteros, con una misa por semana. Mientras que de la capellanía de María Laso no encontramos más datos, de las otras dos tenemos algo más de información en el *Libro Becerro*: «Otra que fundó Juan de Armenteros vecino que fue de este dicho lugar de Perosillo en los treinta días del mes de marzo del año pasado de mil seiscientos y ochenta y seis, con la carga de una misa rezada cada semana. Rinde 24 fanegas de trigo candeal». En una nota de 1803 se indica que don Antonio Tavira y Almazán, obispo de Salamanca que recibió el encargo de Gaspar Melchor de Jovellanos de reformar la universidad, manda que las cincuenta y dos misas anuales que tenía de carga la capellanía de Juan de Armenteros se redujesen a solo tres. Y, por último: «Otra que fundó don Antonio del Teso presbítero vecino que fue de este dicho lugar en el día nueve de febrero del año pasado de mil setecientos y diez y ocho, con la carga de diecisiete misas en cada un año. [...] su renta consiste en dieciocho fanegas de trigo». Vemos, por tanto, que la carga de misas durante estos siglos en la iglesia parroquial de San Andrés era realmente abundante, puesto que a las eucaristías dadas por las capellanías debemos de añadir el resto de los oficios religiosos derivados de las diversas festividades que había a lo largo del año. En el registro de misas de estos años podemos ver cómo se celebraban ritos religiosos en este templo todos los días del año y, en muchos de ellos, dos o tres misas en un mismo día.

Ahora que conocemos algunos detalles sobre la historia de la iglesia de Pedrosillo, vamos a tratar en profundidad cómo es esta por fuera y por dentro. *El Libro de los Lugares y Aldeas del Obispado de Salamanca* ya nos describió brevemente cinco capítulos atrás las características del edificio y los objetos que se custodian en su interior. Entrando en más detalle, podemos decir que sus muros son de mampostería y la torre muestra escuadrada sillería con tres cuerpos separados por impostas. El inferior muestra un óculo, el cual ilumina el tramo inferior de las escaleras que suben a la sala de las campanas y, el superior, cuatro aberturas cuadradas en su base y rematadas con arcos de medio punto por arriba. Los pasos del Via Crucis, dispuestos en los muros exteriores rodeando el templo, se encuentran dentro de medallones ovalados excavados en la piedra. Como se ha comentado antes, la portada se encuentra protegida por un portalón que se sostiene sobre dos columnas y dos arcos también de medio punto: uno que mira al oeste, hacia la llanura de las tierras de cultivo, y otro justo de frente colocado a modo de arco triunfal. En esta zona, a diferencia del resto del perímetro de la iglesia, encontramos bastante decoración trabajada sobre la piedra, y es bajo algunos de estos elementos decorativos donde encontramos las inscripciones con fechas mencionadas anteriormente.

En cuanto a las campanas, actualmente la torre de la iglesia posee cuatro: dos grandes, que ocupan toda la abertura en el muro, y dos más pequeñas. Estas campanas son controladas automáticamente por un ordenador que se encuentra a la entrada de la iglesia y que cada cuarto de hora las hace sonar. De las grandes una toca los cuartos y la otra las campanadas, y las pequeñas se hacen repicar en las ocasiones especiales. Vamos a conocerlas una a una. La más grande se encuentra en el ala oeste, en dirección al pueblo. Esta es la más antigua, pues data de 1789 y es la que toca las campanadas. En ella figura la inscripción: «HIZOSE SIENDO BENEFICIADO DON MATHEO GARCIA CANAS I MAIORDOMO JUAN DE LA CRUZ CARBAIO». Otra campana, algo más pequeña, mira hacia el norte. Es de 1805 y toca los cuartos. En ella se lee: «HIZOSE SIENDO CURA DON MATHEO GARCIA CANAS I MAIORDOMO FRAN(CIS)CO CARBALLO AÑO DE 1805». Continuamos con las pequeñas y, siguiendo el orden descendente de antigüedad, encontramos una en la abertura oeste. Esta es algo más reciente, fue elaborada en 1901. Su inscripción dice: «ME FUNDIERON MANUEL BALLESTEROS LASTRA E HIJO SIENDO ECONOMO D. JOSE M. DE LA ROSA Y ALCALDE JACINTO SANTOS AÑO DE 1901». El término ecónomo se usaba para designar a un cura que daba misa durante la ausencia o baja temporal del párroco. La cuarta campana es la más reciente, pues se hizo en 2008. Esta mira hacia el sur y a través de su abertura se puede observar toda la superficie del cementerio. Podemos leer en ella: «SE FUNDIO SIENDO PARROCO D. HILARIO ALMEIDA CUESTA AÑO 2008».

Pasamos a continuación a comentar el interior. En primer lugar, describiremos el Retablo Mayor (véase el anexo fotográfico para observar una imagen de este). En el contrato de la obra se especifica que debía ser de arquitectura y escultura, realizado en pino seco, limpio de nudos y cortado en época que fuera conveniente. Otra de las condiciones es que tenía que atenerse el retablo a la traza firmada por todas las partes y, además, por el beneficiado del pueblo Alonso Sánchez, el cual escogió los episodios de la vida de san Andrés que iban a figurar en el retablo. También se indica que debía de ocupar toda la capilla mayor, de manera que el frontispicio topara con la bóveda y fuera tan ancho que llegara desde la puerta de la sacristía hasta el otro frente, de forma que el altar sobresaliese hacia afuera. Por otro lado, al igual que el de la iglesia de San Martín, tenía que ser ochavado. «Las historias» muy juntas y encoladas. Por detrás de la estructura, las juntas debían llevar tres bisagras y dos barrotes, además de ir barroteado el tablero del Santo Cristo. Por último, se indica que se habría de guarnecer de madera la bóveda para fijar posteriormente en ella Dios Padre y La Gloria.

Este retablo, del estilo manierista (movimiento artístico de las últimas etapas del Renacimiento) de Antonio González Ramiro, más purista y menos recargado que otras de sus obras, es similar al que se encuentra en la iglesia de Carbajosa de Armuña, encargado siete años antes del de Pedrosillo. La similitud se debe a que en los talleres solía haber modelos que eran adaptados a cada caso. Por ello los retablos de la iglesia de Carbajosa y de la iglesia y ermita de Pedrosillo son tan similares. Este que ocupa la Capilla Mayor consta de banco (parte inferior), dos cuerpos (tramos horizontales, como si fueran pisos de un edificio) y tres calles (tramos verticales). En el banco encontramos una decoración con ángeles y santos. Algunos de estos son san Roque, santa

Águeda, san Agustín, san Gregorio Magno, santa Catalina, santa Bárbara y san Isidro. También encontramos dos escenas en las que se representan La Adoración de los Pastores y La Adoración de los Magos. La calle central, es decir, la zona vertical que se encuentra en el medio del retablo, debía de tener antiguamente una custodia dorada por dentro y por fuera, según se indica en las condiciones del dorado de la obra, pero en la actualidad no se conserva. La imagen del patrón san Andrés se encuentra situada en una hornacina (o hueco semiesférico practicado en el retablo) en la calle central en el cuerpo de arriba, la cual está formada por tres lóbulos y remata en la parte superior en un friso y un frontón curvo. Un curioso refrán nos habla de esta imagen: «A san Andrés, en Pedrosillo, lo encajaron de un porrazo, por eso el pobrecito está manquito de un brazo». Esta figura, sin embargo, debía de estar situada originalmente en la parte inferior de la calle central, donde posteriormente hubo un expositor rococó, rodeado de nubes y ángeles, que en la restauración de 1998 fue desmontado y está ahora ese espacio libre. La parte central del cuerpo superior, donde está ahora San Andrés, debió de acoger antiguamente un Calvario, según se deduce del contrato del retablo. Este Calvario se piensa que puede ser el que se encuentra actualmente en uno de los laterales de la iglesia y que podemos ver en esta imagen. En él se ve a Cristo, san Juan y la Virgen María con miradas profundas y entrecejos fruncidos.

Calvario de un lateral de la iglesia

Nuestro recorrido por el Retablo Mayor de Pedrosillo no podría estar completo sin hablar de los cuatro tableros que narran episodios de la vida del patrón del pueblo y que podemos ver en las fotografías del final del capítulo. Estos tableros se encuentran en los laterales de la obra, dos arriba y dos abajo. El primero, en la parte superior izquierda, muestra a Jesús llamando a los apóstoles. Bajando al tablero inferior, observamos una escena en la que san Andrés es apresado por el

128

procónsul Egeas en Acaya (Grecia). El apóstol estuvo en esta región griega fundando varias iglesias y convirtiendo gran parte de la población a la fe cristiana, incluyendo a la esposa de Egeas, lo que hizo que el procónsul, enfadado, obligase a los cristianos a ofrecer sacrificios a los ídolos. Tras intentar san Andrés que Egeas desistiese en su empeño, fue finalmente encarcelado. Siguiendo con la historia, el tablero superior derecho narra la comparecencia de san Andrés ante el procónsul, momento en el que es amenazado con la crucifixión si este se niega a hacer sacrificios. Finalmente, en la parte inferior derecha se ve al apóstol atado en la cruz, pero no clavado, de manera que tardase más en morir. Los dos días que estuvo en la cruz, san Andrés no dejó de predicar y la multitud que acudía a escucharlo no tardó en amotinarse contra Egeas. Este trató entonces de liberarlo, pero los soldados, al intentar desatarlo, quedaron paralizados sin poder moverse cuando san Andrés comenzó a rezar diciendo: «No permitas, Señor, que me bajen vivo de aquí. Ya es hora de que mi cuerpo sea entregado a la tierra». El apóstol quedó envuelto por una luz celestial y posteriormente falleció.

En segundo lugar, comentaremos cómo son los retablos colaterales de Joaquín de Churriguera. Los dos son muy similares entre sí, puesto que la traza diseñada era la misma para los dos. Ambos constan de banco, un cuerpo principal formado por cuatro columnas salomónicas y canónicas (de cinco espiras) adornadas con gruesos racimos de uvas que lo dividen en tres calles y, por último, un ático muy desarrollado. Las diferencias existentes entre ellos se deben a las mejoras introducidas por los autores de las que se habló anteriormente. El que se sitúa en el lado del evangelio, es decir, a la izquierda del Retablo Mayor, posee un cuerpo principal muy similar al de la traza, exceptuando la hornacina central, cuyo arco de medio punto está decorado con motivos de bullones y una ornamentación de hojarasca que sustituye el querubín que remataba el arco. El ático es lo que más cambia con respecto a la idea original, puesto que las pilastras que lo flanqueaban se sustituyeron por estípites, es decir, pilastras con forma de pirámide truncada invertida. Sobre estos se encuentran unas cabezas de angelitos. Además, el tablero rectangular que se encuentra en el centro del ático figuraba en el dibujo con forma ovalada. Es curioso que el recuadro de hojas de laurel que rodea dicho tablero haya sido alargado en su parte superior y haga una complicada forma quebrada. Coronan el retablo sobre un segmento de arco dos angelitos a los lados y en el centro un medallón de medio relieve que llega casi hasta el techo y que muestra una imagen deteriorada de Santiago. Esta imagen debía ir en el óvalo del ático que finalmente no se hizo. Las figuras que se encuentran en el retablo son, de izquierda a derecha, san Francisco de Asís, san José y santa Ana. El retablo que se sitúa en el lado de la epístola, a la derecha del Retablo Mayor, es más sencillo que su hermano gemelo. El remate del ático es casi idéntico al del otro, solo que no hay ninguna imagen dentro del pequeño óvalo central. Se puede ver que, tras las restauraciones de 1998, hay colocados algunos frisos delante del banco. Las figuras son, de izquierda a derecha, san Antonio abad, Nuestra Señora del Rosario y santa Águeda.

Otras imágenes importantes que se encuentran en el perímetro interior de la iglesia son san Antonio de Padua, san Sebastián, san Isidro Labrador, el Cristo de la Vera Cruz y el Cristo de las Batallas.

Un texto muy importante a la hora de conocer en detalle esta iglesia es el que vamos a tratar a continuación. En el año 1731, como introducción al *Libro Becerro* de Pedrosillo, se redacta una descripción de la iglesia parroquial de Pedrosillo el Ralo y un inventario de los objetos que en ella se encuentran. A continuación podemos leer algunas partes importantes de este texto, en las que se ha intentado reproducirlo fielmente, aunque adaptando ciertas palabras al castellano actual:

«Primeramente una iglesia con sus portales alrededor circunvalados de un cortijo con diez escalones para subir y, antes de él, hay un álamo muy grande y copudo. Esta tiene dos puertas de arco. La principal tiene tres pasos para bajar a la entrada, y la mantienen dos postes de piedra que tiene el uno una imagen de Nuestra Señora mirando al coro y delante, la pila del agua bendita que es de piedra pajarilla, y el otro una imagen de San Juan mirando también al coro. Un coro donde está un atril viejo [...] y está con sus barandillas de madera sobre dos arcos que le mantienen. El uno a la derecha donde está un confesionario, una ventanita donde están tres ampollitas de plata con los santos óleos y una pila grande de piedra pajarilla en la que se bautiza. El otro tiene un confesionario y una caja en la que está una manga de terciopelo carmesí bordada de oro, un nicho con su puerta donde están las amollas del aceite para las lámparas y una puerta por donde se sube al coro y a la torre. Esta puerta se compone de diez claros en que está una campana grande, otra mediana y dos pequeñas y madera para andamio. Hay en la iglesia cinco altares: el mayor está en un arco con tres gradas y una tarima, tiene un retablo antiguo con San Andrés en medio, que es el titular, y cuatro [...] de su martirio y por remate un Santo Cristo [...] por encima la gloria y en el altar la custodia; tiene también un retablo de mampostería con su urna para las fiestas del Santísimo. Un colateral al lado del evangelio con un retablo de talla dorado y en medio en niño Jesús con sus cortinas de raso y a los lados San Francisco y San José y por remate un cuadro de Santiago y delante del altar una lámpara de alquimia. Otro colateral con un retablo de talla dorado y en medio está Nuestra Señora del Rosario con su corona. A los pies una media luna de plata, con sus cortinas y cenefa de raso, y dos arañas a los lados de la caja. En el retablo están Santa Ana, Santa Águeda, y por remate un cuadro de Nuestra Señora y Santo Domingo y delante una lámpara de alquimia. Otro altar por delante del arco a la izquierda de la puerta principal en que está el Cristo de las Batallas en su retablo de talla dorado con cortinas de raso y una lámpara delante también de alquimia. Junto a este altar está una ventana con su reja dorada donde está el archivo. Otro altar a la derecha de la puerta menor principal, con su retablo de talla dorado en el que está el Cristo de la Vera Cruz y delante una lámpara de alquimia. Un púlpito de barandillas de hierro con su escalera de mano que está por debajo del arco al lado del evangelio. Un escaño viejo, cuatro bancos de respaldo y otros cuatro fijos con sus barrotes, todos de nogal. Un confesionario al lado de la epístola junto al arco. Cuatro bancos de pino, seis hacheros de pino viejos, unas andas con copa de hierro para os difuntos con su paño negro. Una cruz de metal que está en el altar mayor y cuatro de madrea en los demás. Al lado del evangelio del altar del niño está una puerta que va a la sacristía que está detrás del altar mayor y en ella hay: cuatro cuadros con marco viejos y dos sin marco; unos cajones [...] y sobre ellos una caja ovalada con talla dorada con una imagen de Nuestra Señora y por remate un crucifijo viejo; dos candeleros de pino viejos y a los lados dos espejos para vestuario; y a un lado está un dosel blanco con un crucifijo del púlpito».

Las dos páginas y media siguientes reflejan un exhaustivo inventario de pequeños objetos, telas, ropas, manteles y demás alhajas usadas para el culto. Tan detallista es este catálogo de bienes que encontramos registrados incluso un cincel de hierro y una palanca para abrir las sepulturas. Observamos que fue una iglesia muy rica en objetos decorativos de exquisito gusto, algunos de los cuales permanecían todo el año en la sacristía y otros se iban sacando para usarse en las diversas celebraciones religiosas que tenían lugar a lo largo del año.

Campanas de la torre de la iglesia.
De izquierda a derecha, de arriba a abajo: 1805, 1789, 2008 y 1901

Jesús llamando a los apóstoles

Prendimiento de san Andrés

San Andrés ante Egeas

San Andrés atado a la cruz

Ermita de Nuestra Señora de Gracia

Pasamos al segundo edificio religioso del pueblo de Pedrosillo el Ralo. Después de las iglesias, las ermitas han sido a lo largo de muchos siglos lugares importantes de culto, espacios de devoción y veneración de los habitantes rurales. En La Armuña la mayoría de ellas están dedicadas a las diferentes advocaciones de la Virgen María. Debido a la inclemencia de los tiempos, el transcurso de los años, las frecuentes revueltas y revoluciones (especialmente desde la invasión francesa) y el cierto abandono de algunos pueblos, no todas las ermitas que se construyeron en esta zona siguen actualmente en pie. Por ello, debemos de alegrarnos de que Pedrosillo pueda seguir teniendo un edificio histórico de estas características.

Saliendo del pueblo en dirección sur y recorriendo 500 metros por el camino de la Ermita que resulta de la prolongación de la calle homónima, llegamos

Fachada sur y portada de la ermita de Nuestra Señora de Gracia

a la ermita de Nuestra Señora de Gracia. Esta se sitúa a la derecha del camino, detrás de unos chopos, muy cerca de la autovía y rodeada por tierras de cultivo de la zona denominada *los Castriones*. Tiene una superficie de 295 m^2 y su construcción data de mediados del siglo XV. La parcela en la que se encuentra, como ocurría con la iglesia parroquial, conforma la necrópolis de la ermita de la Virgen de Gracia y pertenece a un plan de protección que evita que se puedan dañar los posibles restos arqueológicos que haya bajo la superficie. Así como la iglesia está dedicada al patrón san Andrés, la ermita fue levantada para honrar a la Virgen de Gracia y la tradición nos cuenta el porqué. Se dice que un zagal, siguiendo las huellas de un corderillo, se encontró con una imagen de esta Virgen semienterrada en una linde. Para rendirle culto, se edificó esta ermita y se colocó en el altar la hallada imagen. En 1910 G. Pérez Vázquez nos aporta más información acerca de esta leyenda: «La historia de Nuestra Señora de los Ángeles y de Gracia es muy oscura y compleja. Aún se señala en el camino de *Carre La Torre*, y próximo al pueblo, un montecillo de tierra a modo de hito, donde, según la tradición antiquísima y popular, apareció enterrada la santa imagen. Disputáronse la pertenencia en dura contienda los pueblos de Villaverde y Pedrosillo y al ponerla en andas y estas en un carro, los bueyes cual las vacas del arca Santa, con impulso fiero tiraron al sitio donde permanece el santuario hoy día, sin que fuerzas humanas pudieran removerles de aquel lugar». Los que conozcan la leyenda del Cristo de Sordos de Villaverde se habrán dado cuenta de que la historia es exactamente igual que esta que aquí se cuenta, aunque cambiando la Virgen por el Cristo y los bueyes de Villaverde y Pedrosillo por los de Villaverde y Gomecello. En otro párrafo cuenta también, aunque sea de dudosa veracidad, que los habitantes de Pedrosillo de Francos, poblado ya desaparecido del término de La Vellés como vimos anteriormente, habrían escondido la imagen de la Virgen de Gracia al verse atacados por «las huestes agarenas y musulmanas» durante los siglos X, XI y XII, y que siglos más tarde habría sido descubierta por la roturación del terreno. Vemos difícil que esta historia fuese cierta, debido, en parte, a que el poblado de Pedrosillo de Francos no debería de haber existido todavía en esa época y porque en otro párrafo indica que nuestro pueblo debió de fundarse en el primer o segundo tercio del siglo XVI, que ya sabemos claramente que no es cierto.

En esta imagen venerada durante tantos siglos en Pedrosillo el Ralo, santa María, con rostro angelical y mirada dulce, aparece con el Niño Jesús en su regazo, bendiciendo este con los dos dedos de la mano derecha. La Virgen le ofrece también con la mano derecha un objeto que no es posible reconocer.

Algunas fuentes señalan que podría datar de finales del siglo XIII o principios del XIV. La cara y la mano fueron ligeramente retocadas en 1865, y la imagen entera al terminar la guerra civil española. Esa puede ser la razón de que, aunque se dice que arqueológicamente se ha datado la madera como tallada en esos siglos, la imagen no parezca tan antigua.

La mención más antigua encontrada por el autor data de 1573 y es un proceso entre el concejo y los vecinos de Pedrosillo con Antonio Rodríguez, ermitaño mayor, por la posesión de la ermita y su jurisdicción. En ese escrito, Juan de Mendoza, arcediano

Imagen de la Virgen de Gracia y el Niño Jesús

de la Catedral de Salamanca, otorga a Antonio Rodríguez la posesión de la ermita y su casa «en título perpetuo», además de encargarle ciertas tareas de mantenimiento del templo y la obligación de recoger limosnas. Él defiende que esto es lo que dictaminó el arcediano de la catedral y que, por tanto, las razones del escrito elaborado por el concejo de Pedrosillo y sus vecinos no son verdaderas. Otra de las menciones más antiguas que encontramos corresponde al *Libro de los Lugares y Aldeas del Obispado de Salamanca*, como ya se vio. En él se indica que estaba en buen estado y se invertía una renta en su mantenimiento. Desde entonces el paso del tiempo ha hecho mella y ha causado estragos en toda su fábrica, así como en su interior. En 1692 la cabecera, de unos 8 metros de lado, fue reconstruida, y quedó iluminada por dos ventanas y comunicada con el cuerpo por un arco de cantería apoyado en dos machones. Con gran certeza, en el año 1795, tuvo lugar una gran restauración de toda su fábrica pues, además de encontrar referencias escritas en prensa y documentos históricos, observamos una inscripción en el extremo izquierdo de la fachada con esa fecha escrita en una esquina. En ella aparecen las primeras palabras en

Inscripción en el exterior con fragmento de oración

latín de la oración Avemaría: «Ave María, gratia plena, Dominus Tecum» excepto «gratia», que aparece como «gracia». En castellano lo traducimos como: «Dios te salve María, llena eres de gracia, el Señor es contigo». La advocación de la Virgen de Gracia tiene su origen en esta oración y resalta esa cualidad divina que Dios puso en la Virgen María. Esta restauración debió de ser predominantemente del exterior del templo pues sabemos que elementos del interior como el retablo o las bóvedas fueron de principios de ese siglo.

El documento más antiguo hallado nos informaba sobre la existencia de una vivienda contigua a la ermita donde residía un ermitaño, y debió de ser así durante varios siglos. En el siglo XVIII volvemos a encontrar escritos que hablan de una pequeña casa con pozo, y lo veremos con detalle más adelante en este capítulo. En el siglo XIX, el hombre que por entonces habitaba esta vivienda anexa a la ermita se llamaba Antonio López. Algunas veces, en vísperas de las fiestas, recogía donativos y ofrendas para el culto. Además de esta casa, la ermita contaba antes con una gran alameda de abundantes y altos árboles que rodeaban su perímetro. Nos dicen de esta zona en 1752 que está «cercada de pared contigua a la ermita de dicha imagen [cofradía de N.ª Sra. de Gracia], que se compone su plantío (aunque sin orden) de ciento cuarenta y tres árboles llamados álamos negrillo (o álamos negros) y de terrazgo hace cuarta y media para pasto de mediana calidad, linda por levante con camino que va a Velasco, poniente tierra del Beneficio de este lugar, norte con sitio de la ermita y mediodía con tierra de don Tomás de Quevedo que llaman del gallego». Se dice que la ciudad de Salamanca le es gran deudora a este santuario, pues algunos de los árboles que se utilizaron para la repoblación de ciertas calles importantes de la ciudad como el Paseo del Rollo y el de Carmelitas salieron de esta arboleda.

En el año 1904, para celebrar el 50º aniversario de la definición dogmática de Nuestra Señora de Gracia, fue elegida esta ermita para la peregrinación de 14 pueblos del arciprestazgo de La Armuña. Se cuenta que más de 6000 romeros acudieron con fe y devoción hasta nuestro pueblo para rendirle homenaje a esta Virgen tan venerada en aquella época. Nuevamente, al igual que lo hiciese sobre la iglesia, el padre César Morán comenta brevemente en 1946 que esta ermita se encuentra a las afueras del pueblo y que cuenta con imagen bizantina repintada. En la primera mitad de este siglo tienen lugar algunos pequeños arreglos como un cambio de los cristales de las ventanas en 1906 o el arreglo de la campana de la espadaña en 1955.

A finales de los años 60 del pasado siglo, un episodio lamentable tuvo lugar, pues la ermita fue saqueada y despojada de su hermoso retablo, y también de diversos objetos que allí había. Debido a estos actos la imagen de la Virgen de Gracia se trasladó a la iglesia, donde ahora acompaña a san Andrés. Actualmente la ermita no tiene uso, debido al estado en el que se encuentra y a la imposibilidad de su mantenimiento. Tan solo fue adecentada una vez, gracias a la colaboración de los pedrosillanos, para celebrar una última eucaristía en las fiestas de agosto de 2003.

El templo consta de tres contrafuertes a cada lateral, los cuales se unen por dentro mediante arcos fajones. En la fachada sur encontramos tres ventanas: dos que alumbran el interior (otra más lo hace por la pared norte) y una pequeña que actualmente se encuentra tapiada y que alumbraba la antigua sacristía.

Sobre los dos contrafuertes más occidentales se apoyaba un tejadillo, prolongación del que cubre el conjunto, y que formaba un pequeño atrio que resguardaba la portada, similar a lo que ocurre en la iglesia. Este tejadillo se desprendió durante una tormenta el 27 de agosto de 2017 y apareció destrozado unos metros al norte del templo. Dos jambas a los lados de la puerta sustentan un arco de

Grabado en el exterior del templo

medio punto en la parte superior y bajo el cual encontramos un frontón vacío. La decoración exterior en general es bastante humilde y sobria, aunque encontramos algún pequeño detalle decorativo bastante esmerado y concienzudo como el que podemos apreciar en esta imagen. A pesar del deterioro y el estado actual de la ermita, es posible encontrar algunos restos y detalles artísticos en su interior que se han conservado hasta nuestros días. En el anexo fotográfico que se encuentra al final del libro se pueden ver las fotografías de dichos elementos decorativos.

De uno de los laterales sale una pequeña espadaña hecha de cemento y no de piedra de Villamayor como el resto de la estructura. Esta fue reconstruida tras derrumbarse la anterior a finales del siglo pasado y actualmente se pueden encontrar en el suelo varias piedras con formas características que formaron parte de ese antiguo campanario. En el interior de esta torrecilla se encuentra un pequeño campanil que hoy aún puede ser tocado con una cadena desde el interior. Los dos contrafuertes que por la parte sur sostienen el tejadillo de la portada dividen por dentro la planta del templo en tres tramos, mientras que el tercer contrafuerte es prolongación de la pared del altar donde se situaba el retablo. Actualmente, el único techo abovedado que se conserva es el del tramo central, mientras que los de la izquierda y la derecha se han desprendido por completo y han dejado a la vista la parte interior del tejado, la cual está bastante bien cuidada. Detrás del altar se encuentran dos estancias a doble altura. La antigua sacristía, de planta baja y techo bajo a la que se accede por la parte derecha, y el antiguo camarín de la Virgen, justo encima de esta, a la que se sube por unas escaleras que parten de la izquierda del altar. Esta segunda sala, cuyo techo tampoco se conserva y estuvo formado por dos arcos y una pequeña bóveda, sirve como acceso a la abertura en la parte central del retablo, donde se colocaba la imagen de la Virgen de Gracia.

Para conocer más información sobre el interior y el exterior del templo, debemos trasladarnos al 11 de noviembre de 1716, año en el que se realiza un detalladísimo inventario de los diversos objetos, alhajas y bienes que posee la ermita. A continuación veremos un resumen de este escrito detallando aquellos datos de mayor interés. Los objetos de plata eran numerosos y destacaban dos coronas, una diadema, dos arañas de tres luces, unos relicarios, una campana y un cáliz. Había cuatro gargantillas con muy diversa filigrana y cuatro rosarios. En cuanto a la madera, encontrábamos unas andas de cuatro columnas, un atril de nogal, diez bancos de los cuales dos eran de pino y dos de castaño, una mesa de pino, cajones, puertas y una cruz y un arca, ambos de pino. Las puertas principales de la ermita estaban formadas por tres piezas de las cuales las dos mayores se cerraban con un barrote de hierro y el conjunto entero con dos llaves, una que cerraba dos pestillos a la vez y otra para el postigo. La ventana principal del camarín tenía por entonces una vidriera nueva con barras y reja de hierro por la parte de fuera y cortinas por la parte de dentro. Otra cortina servía para tapar la imagen de la Virgen. El resto de los textiles lo componían una alfombra, manteles, paños, colonias (cintas de seda), casullas, un alba, tres escapularios y gran cantidad de mantos, eran destacables uno de raso de flores, otro de damasco verde y otro de tisú antiguo con flores azules y blancas. Se habla del altar, el cual era de piedra (piedra de ara, como se decía por entonces), con un retablo «de la nueva fábrica» (se había colocado tan solo 16 años antes). El retablo era todo dorado, contaba con una imagen de san Antonio Abad en el lado derecho y una de san Sebastián Mártir en el izquierdo, y estaba rematado por una pintura de san Gregorio Ostiense. Además, había dos cuadros antiguos, uno también de san Gregorio Ostiense y otro de san Gregorio Nacianceno. En cuanto a la fábrica de la iglesia, se dice que tiene una sacristía, un camarín, una capilla mayor y el cuerpo del templo con su espadaña, que alberga una campanilla. La capilla y el cuerpo estaban rematados ambos con una veleta cada uno. También se nos informa de cómo era la casa contigua donde vivía el ermitaño. Esta estaba formada por un portal, una sala, un cuarto, una cocina con chimenea, un aposento mediano, un pajar y una caballeriza. Otra puerta daba a un huerto en el que había un pozo y una pila para el servicio de la ermita. Rodeando a la ermita y la casa del ermitaño había una alameda cercada con una valla alta y un corralito con puerta cercado con piedra que miraba hacia el pueblo. Completando esta información, en 1752 se indica que «se compone de cuarto bajo y corral y tiene de frente dieciséis varas y nueve de fondo, linda por levante con territorio de la expresada ermita, poniente con tierra del Beneficio de este lugar; norte, tierra del síndico y mediodía con alameda de dicha imagen (cofradía de N.ª Sra. de Gracia). Y consta que dicha casa no renta cosa alguna por estar destinada para que la habite el ermitaño que cuida de Nuestra Señora, y la enunciada ermita estará distante de este dicho lugar cosa de trescientos pasos». A cierta distancia, en el camino que comunica Pedrosillo con la ermita, había una cruz de piedra con tres gradas en círculo. Las posesiones de la ermita se completaban con un conjunto de ocho tierras en el término de Pedrosillo y el mancomunado de Pedrosillo y Villaverde.

En 1817 tiene lugar otro inventario de la ermita que añade cierta información al anterior, bien porque no constó en él, bien porque se introdujeron cambios en esos cien años. En cuanto al cuerpo de la iglesia, nos indican que había dos escaleras: unas que subían a un púlpito de piedra y otras largas para subir al tejado. También nos indican que había unas andas doradas de cuatro columnas, las cuales debían de ser las mismas que el siglo anterior, aunque no se conservan hoy en día. Las andas que se utilizan actualmente para el transporte en procesión de la Virgen fueron un regalo que Abilio Macías hizo al pueblo el 9 de octubre de 1960. Junto al altar, además del retablo, también había un *Ecce homo* y una lámpara para alumbrar a la Virgen. La sacristía contaba con una puerta con llave en la que se guardaban velas, cruces, varas para los mayordomos, un facistol (atril grande)… El camarín guardaba la imagen de la Virgen y la mayoría de las alhajas recogidas en el anterior inventario, además de una pila de agua bendita y un balaústre o columna de madera pintada.

Como ya hemos ido viendo, esta ermita no carece precisamente de importancia, sobre todo debido a que ha albergado una obra de uno de los arquitectos más famosos de Salamanca y de España: Alberto de Churriguera Ocaña. Él fue el maestro mayor de obras de la Catedral Nueva e inició la construcción de la Plaza Mayor de Salamanca, donde realizó dos lienzos. Además, ayudó a terminar el coro de la Catedral Nueva que había quedado inconcluso tras la muerte de su hermano Joaquín. También tiene numerosos trabajos muy conocidos en ciudades como Valladolid o Madrid, ciudad en la que nació. Sus padres murieron siendo él joven, por lo que quedó al cuidado de su hermano José Benito. En 1692 acompaña a Salamanca a su hermano para ejecutar el retablo de San Esteban, donde completaría su aprendizaje. Y es el 3 de abril de 1698 cuando, a la temprana edad de 21 años, se compromete a ejecutar el retablo de la ermita de Nuestra Señora de Gracia de Pedrosillo el Ralo y un marco para el frontal del altar, por los que recibió 1800 reales. Lo que más sorprende es el hecho de que en esa época, Alberto de Churriguera se encontraba viviendo en nuestro pueblo y este es el primer retablo y la primera obra que hizo de forma independiente antes de realizar sus más famosas obras como la Plaza Mayor de Salamanca. Es a partir de este momento cuando empieza a desarrollar una actividad independiente al margen de su hermano José Benito.

La madera que fuera a utilizar debía ser buena y de pino y estar el conjunto terminado de tallar en julio de ese mismo año. El retablo no era muy grande, debía medir unos 5,40 metros de alto por 3,90 de ancho y no llegaba a cubrir toda la pared, puesto que a izquierda y derecha están las entradas a la sacristía y el camarín. Las imágenes de san Sebastián mártir y de san Antonio Abad que veíamos en el inventario de 1716 fueron reaprovechadas para la ocasión y, la pintura oval de san Gregorio Ostiense, que se encontraba en lo alto del retablo, parece ser que fue hecha específicamente para el retablo. En octubre de

1700 se encontraba ya completamente terminado y el obispo Francisco Calderón de la Barca ordena su dorado. Como el resultado debió de ser satisfactorio, esa es la razón de que ese mismo año se encargase a Joaquín de Churriguera la construcción del retablo de la iglesia parroquial.

El retablo de la ermita en los años 60

Este desaparecido retablo de la ermita responde a un estilo de cuerpo con cuatro columnas salomónicas adornadas con racimos y sarmientos, y una parte superior cerrada por un segmento de arco. Como vemos en esta imagen, se dividía en tres secciones verticales o calles. La calle central era mucho más ancha que las laterales y estaba ocupada por una abertura u hornacina donde se colocaba a la Virgen desde el camarín y que es actualmente el elemento más destacable del muro de la cabecera. Esta hornacina estaba rodeada por una abultada decoración a base de motivos vegetales entre los cuales asomaban unos angelitos con cabeza de querubín de forma simétrica a un lado y otro del arco de medio punto cuya parte superior se dejaba ver ligeramente, pues el trazado de estos motivos florales establecía cierta continuidad con el ático del retablo. Esta decoración en forma de hojarasca también cubría otras muchas partes de la estructura como pudieran ser las ménsulas, las calles laterales, la parte superior de las columnas y el ático. Numerosos exvotos se llegaron a colgar de los muros de la ermita, en señal de agradecimiento hacia la venerada Virgen. Otro lienzo que existía en el interior indicaba las curaciones milagrosas que habría obrado. El último decorado que existió, además de las bóvedas, fueron realizados en su mayor parte en los años noventa del siglo XIX.

Cereales y legumbres. El Garbanzo Pedrosillano

Podemos afirmar que, durante siglos, la vida rural de La Armuña, y en particular de Pedrosillo, ha girado fundamentalmente alrededor de dos grandes elementos: la religión y la agricultura. El trabajo y las creencias; la obligación y la devoción. Por ello, como hemos ido viendo a lo largo de los capítulos anteriores, aunque Pedrosillo ha tenido ganaderos, artesanos e industriales, la mayoría de sus gentes se ha dedicado al laboreo agrícola. Vamos a hacer un resumen de los datos históricos que tenemos acerca de los cultivos que ha habido en nuestro pueblo y a conocer cómo se trabajaban las tierras.

La información más antigua acerca de las siembras que se realizaban la vimos al tratar en profundidad las respuestas del Catastro de la Ensenada. Se nos indicaba entonces que se sembraba mayoritariamente trigo rubión y, en menor medida, cebada, algarrobas, lentejas y garbanzos. Al trigo rubión también se lo ha llamado alforfón, sarraceno o negro y su nombre científico es *Fagopyrum esculentum*. En el *Diccionario Castellano* de Esteban de Terreros cuenta un botánico que el rubión da mucho más pan que el trigo candeal, pues absorbe más agua, de manera que en una fanega había muchas más libras de rubión que de candeal. El tallo es erguido y hueco y sus hojas son de tipo sagitadas (triangulares y ovaladas). Las flores son blanquecinas o rosáceas y pequeñas. Los frutos contienen una sola semilla y maduran de forma gradual. Esta planta es originaria de Asia central y se hizo muy común en Europa a partir del siglo XVI. Actualmente se cultiva en Europa central, Norteamérica, India, China, Japón y parte de Rusia. En España se siembra mayoritariamente en Cataluña. Se utiliza tanto para consumo animal como humano. A partir del grano se hace harina para la elaboración de numerosos platos y, a la vez, sirve como planta forrajera y se usan los frutos como pienso para el ganado. Al considerarse un alimento para animales, solía ser consumido por campesinos humildes que no tenían reparo en comerlo. Nutricionalmente es una planta de fruto muy energético y nutritivo con un alto contenido en proteínas y sin gluten. Incluso en algunos lugares se usa como cosmético para proteger la piel y, en Japón, la cáscara es aprovechada para hacer rellenos de almohadas.

Un siglo después, en el diccionario de Madoz de 1850, vimos que seguía siendo predominante el cultivo del cereal, «especialmente trigo rubión y varias semillas». Otros cien años después la cantidad de tierras dedicadas al cereal y a la legumbre había descendido, puesto que se pasó de un 94,4 % de ocupación a un 88 %. Observamos un aumento de superficie del término dedicada a prados, pastos y regadío, aunque no de manera notable.

El modo de cultivar las tierras de secano ha sido muy similar durante siglos, hasta la mecanización agrícola durante la segunda mitad del XX. Nada tiene que ver ahora con la manera en la que nuestros mayores pedrosillanos trabajaban en el campo cuando eran jóvenes. Muchos ya aprendían a arar con tan sólo 12 años, aunque casi no pudieran ni mover el arado. Cuando crecían, ayudaban en verano a recoger el producto de la cosecha. Décadas después el trabajo empezó a hacerse más sencillo, pues ya subían el grano con las palas de los tractores a los remolques basculantes y lo llevaban hasta las paneras. Hasta entonces todo era mucho más arduo y agotador, pues tenían que cargar sacos de 90 kilos y subirlos hasta los sobrados de las casas por estrechas e incómodas escaleras. Las lentejas había que arrancarlas a mano, agavillarlas (juntarlas y atarlas en forma de manojos grandes), acarrearlas (transportarlas en carro), trillarlas (separar el grano de la paja), limpiarlas al aire y llevarlas a la era. Todo se hacía con animales como bueyes o burros y se transportaba en carros. Además, se sembraba en surcos, a diferencia de ahora que, con las máquinas, se hace en llano. En verano se llenaba el pueblo de gente, sobre todo en los años 40 y 50, pues muchos llegaban de la provincia de Zamora y pueblos de las Arribes como Fermoselle a recoger la cosecha.

Es digno de mencionar el laborioso y duro trabajo que realizaban las mujeres en el campo. Escardar los cultivos o recoger a mano, una a una, las plantas de lentejas y garbanzos eran algunas de las arduas tareas que tenían que realizar. Con un pañuelo se tapaban la cabeza para llevar a cabo el laboreo, pues era realmente importante protegerse cuando pasaban horas y horas bajo el sol asfixiante del verano. Algunas mujeres destacaban por su fortaleza, como una pedrosillana que cuenta cómo le tocaba en ocasiones durante la siega hacer el trabajo más duro al abrir surcos junto a sus hermanos. Era común que muchas de ellas fueran a la escuela y, al salir, tuvieran que ayudar al padre en el campo.

Como comentábamos anteriormente, decenalmente se hace un censo agrario que detalla a nivel municipal información acerca de las diferentes explotaciones agrarias que hay en los diversos pueblos de España. El último

Cultivos de cereales en las cercanías de la iglesia

que se realizó se llevó a cabo en 2009 y nos permite conocer algunos datos sobre la agricultura en Pedrosillo hace unos pocos años. Así sabemos que en ese año existían 16 empresas agrarias que trabajaban 790 hectáreas del término municipal de nuestro pueblo. Los jefes de explotación eran mayoritariamente hombres entre 35 y 44 años y, del total, solo cuatro eran mujeres. En cuanto a los cultivos, como vimos en otro capítulo, el 94,5 % de las tierras aprovechadas eran labradas, mientras que el 5,4 % eran tierras para pastos permanentes, y el resto sin aprovechamiento para labranza ni pastos, como algunas eras. La mayor parte de las explotaciones agrarias eran de cereales para grano, seguidas de leguminosas también para grano y, en menor medida, girasol, barbechos y patata. La mayoría de ellas eran de secano, aunque había un pequeño número de regadío. Los cereales para grano, ordenados de mayor número de tierras a menor, eran: cebada (casi 263 hectáreas), trigo blando y escanda, avena, trigo duro, centeno y maíz en grano. Las leguminosas representaban aproximadamente el 19 % de todos los cultivos, eran prácticamente la totalidad garbanzos y lentejas (aproximadamente 132 hectáreas).

Garbanzo Pedrosillano

Sin duda, el Garbanzo de Pedrosillo, además de la Lenteja de La Armuña, es el producto gastronómico estrella de estas tierras. Lo es por su antigüedad y por su fama. Hay constancia de que este tipo de garbanzo se ha cultivado en Pedrosillo durante siglos, siendo las referencias más antiguas se encontraron

147

del siglo XVIII. En el diccionario de Pascual Madoz aparecen como productores de esta variedad diversos pueblos de La Armuña y de la vecina comarca de Las Villas. Los términos municipales de la mayoría de ellos y algunos otros, hasta formar un total de 38, son los que constituyen la zona de producción de este garbanzo y están incluidos en el reglamento de la marca de calidad registrada «Garbanzo de Pedrosillo». Aunque este se siembre en otras partes de España, solo los cultivados en esos pueblos garantizan la autenticidad de esta variedad tan apreciada. Por tanto, mientras que esta variedad de garbanzo lleva el calificativo de *pedrosillano*, solo el que se planta en estos 38 pueblos es denominado *de Pedrosillo*. Hoy en día encontramos exportaciones de este garbanzo en numerosos lugares de nuestro país e incluso del extranjero. Es muy apreciado debido a su textura, su mantecosidad y su intenso sabor.

Garbanzos pedrosillanos

No podemos afirmar con absoluta certeza que esta legumbre deba su nombre al pueblo de Pedrosillo el Ralo, aunque no hay ningún indicio que indique lo contrario. Además, desde la Agrupación de Consejos Legumbres de Calidad se insiste en asociar el nombre del Garbanzo Pedrosillano o de Pedrosillo al de nuestro pueblo. Gran parte de la producción anual de este tipo de legumbre proviene del término municipal de Pedrosillo y de los pueblos limítrofes. Al ser así desde antaño, podemos atribuir el nombre de esta variedad a nuestro pueblo y, probablemente, también su origen.

El rasgo más característico del Garbanzo Pedrosillano es su pequeño tamaño. Su diámetro suele ser de entre 5 y 7 mm, inferior al del Garbanzo de Fuentesaúco y al castellano, y con una forma más redondeada que este último, aunque con el pico puntiagudo. Su textura es ligeramente rugosa, pero sin pliegues ni grandes rugosidades. Su color es marrón claro con ciertos tonos anaranjados y su cotiledón es de un color parecido, aunque más claro que la piel exterior. Una vez cocinado, no pierde su forma ni se despelleja la piel. En cuanto a la información nutricional, algo más de la mitad del producto corresponde a hidratos de carbono y un 22 % son proteínas. Contiene poca grasa, bastante fibra y algunos elementos como calcio, magnesio o fósforo.

Fotografías de algunos de los cultivos del término municipal

Cebada

Trigo

Lenteja

Veza o arrita

PARTE 3
La vida en el campo y sus gentes

Vida y costumbres

Después de haber conocido la historia de Pedrosillo a lo largo de los siglos, cómo son sus calles, sus edificios y su entorno, en esta tercera y última parte vamos a hablar sobre sus gentes y sus tradiciones. En concreto, en este capítulo se recogen ciertas costumbres en torno al rito religioso, la agricultura, la ganadería o relativas a las actividades cotidianas del pasado. Empezaremos hablando de una antigua y curiosa celebración. Veremos a grandes rasgos en qué consistía y cómo se llevaba a cabo en Pedrosillo.

Las velambres

Las *velambres*, *velaciones* o simplemente *velas* eran una serie de celebraciones destinadas a alcanzar una positiva meteorología para las cosechas. Estos ritos de antaño tenían lugar en mayo y eran acompañados por la bendición de los campos. Estas bendiciones se realizaban en un día concreto, variable según las costumbres de los pueblos y las cuales los fervorosos agricultores esperaban con ansias. Los párrocos de los lugares rogaban a Dios que los prados y sembrados fuesen prósperos, que las plagas desoladoras y la peste fuesen exterminadas, que desapareciesen tanto las temibles sequías como las destructivas tormentas y que el azote del hambre mermase, para bienestar de los humildes labriegos. Era grandiosa la fe que se mostraba en estos actos que se realizaban en muchos pueblos de toda España. En ellos, los santuarios dedicados a ciertas figuras religiosas, como la ermita de Pedrosillo, eran utilizados para celebrar misas con posteriores procesiones de la sagrada imagen. Esta estaba acompañada por pendones, estandartes y cruces, además de la penitencia y la oración que el pueblo le prestaba durante su recorrido. En muchos de esos pueblos, esto solo era un preludio de un novenario de misas llamadas *buenos temporales* que pasaremos a comentar a continuación. Los pueblos se dividían en nueve barrios, de manera que cada uno era el encargado durante un día de velar en la iglesia y asistir a la misa, procesión y cultos de la noche. Además, debían de llevar la cera, encender las lámparas, iluminar los altares, engalanar las imágenes, dar limosna al sacerdote por la misa, ayudar al sacristán... Estas eran por tanto las velaciones o, de forma más arcaica, las velambres. Cada grupo se esforzaba al máximo por ser los más solemnes y esplendorosos en los cultos de la noche, que era donde realmente podía marcar la diferencia con el resto de los barrios y daban rienda suelta a su inspiración. Durante el día, las velantes, que eran las mujeres que preparaban los actos, iban presurosas de casa a la iglesia para preparar todos los adornos. Los hombres, después de la misa, disfrutaban de juegos como la calva y merendaban juntos mientras hablaban y discutían sobre sus faenas agrícolas. La iglesia permanecía abierta todo el día y en ella no entraban los hombres hasta la noche, momento en el que veían, con sorpresa, todo aquello en lo que habían estado trabajando las mujeres del pueblo. Los cultos eran humildes y eran ambientados por las entusiasmadas voces de los feligreses: por la mañana la misa cantada seguida de la procesión, y por la tarde el santo rosario, la Salve final y las tres avemarías cantadas. La lectura de algunos textos o poesías ponían fin a los cultos de la noche.

En algunos pueblos en los que existen imágenes de sus privilegiadas devociones en ermitas, como la Virgen de Gracia en Pedrosillo, terminados estos nueve días, se procede a un triduo de velambres en el que se divide otra vez el pueblo en tres turnos y es entonces cuando el entusiasmo crece y se escuchan los cantos más selectos del pueblo que se han reservado para la ocasión. Esta Virgen era trasladada a la iglesia de San Andrés y se dice que desde allí los cantos y las voces envolvían cada rincón de las inmensas llanuras armuñesas. Grande era la devoción que profesaban las gentes de Pedrosillo, tanto incluso que tenían su propio Salve, muy elegante y antigua, la cual el coro recitaba con fuerza y sentimiento:

> Salve Virgen bella
> Pastora agradable,
> De los Pecadores
> Amorosa Madre.
>
> Salve Madre nuestra,
> Luna inalterable,
> Incorrupto Cedro,
> Palma Hermosa,
> salve.

Salve Virgen Santa
De la Gracia Madre,
Perdidas ovejas
No nos desampares.

Escucha mis voces,
Remedia mis males,
Atiende mis ruegos,
Oye mis pesares,
etcétera, etc.

Las tazmías

Una costumbre muy común que antiguamente existía era el pago de tazmías por parte de los vecinos de una parroquia. Estas tazmías eran porciones
de grano que se entregaban a las iglesias para el pago de los diezmos. Era un
impuesto muy habitual hace unos siglos y en casi todas las parroquias existían
libros donde se registraban las cuentas derivadas del cobro de este impuesto
eclesiástico. En 1813, el primer año del que tenemos datos, en Pedrosillo tenían la obligación de pagar tazmías un total de 50 vecinos, en su mayoría los
hombres de las familias, aunque también encontramos nombres de mujeres.
En 1840, el último año registrado, los contribuyentes a las tazmías fueron 48
habitantes. Los productos de cosecha que se entregaban eran trigo, centeno,
cebada, yeros, arvejas (llamadas en la actualidad vezas), muelas, garbanzos y,
algunos años, algarrobas. A partir de 1817, se especificaba si el trigo entregado era de rubión o candeal. Sin duda, el trigo era el producto que más se
recaudaba a principios del siglo XIX, con más de 400 fanegas por año.

El garbanzo también era una buena fuente de ingresos, aunque con bastante menor peso que el trigo: entre 100 y 150 fanegas al año. Todo lo recaudado
por la iglesia de Pedrosillo se almacenaba en la cilla, un almacén o habitación
destinada exclusivamente a este fin que era propiedad de la parroquia. Esta
cilla, en el siglo XVIII, era «de cuarto bajo», tenía «de frente nueve varas»,
lindaba con el pósito de pobres y su renta estaba regulada en cien reales de
vellón al año. El desglose de partidas de aquello que se recaudaba por las
tazmías solía ser para el préstamo (antigua pensión eclesiástica que se explicó
anteriormente), la media ración (tipo de renta o beneficio asociado al cabildo),
las tercias (parte de los ingresos que iba para el rey), el beneficio y la fábrica.

155

Algunos años también figura que cierta parte de lo obtenido iba para el salario del cillero. Muchos años también se destinaba parte del producto a las cillas de La Vellés y Gomecello, o como ahorros para Salamanca. También se recaudaban otros dos tipos de diezmos: los sanjuaniegos y los martiniegos, sobre todo a partir de 1824. Estos podían consistir en ajos, pollos, cerdos, pollinos, corderos, verduras o lana.

Los quintos

Esta tradición, sin duda, es una de las más conocidas en todos los rincones de España. Se denominaban *quintos* a los jóvenes que marchaban a hacer el servicio militar una vez alcanzada la mayoría de edad. Este nombre también se refiere a los festejos que iban asociados a este paso hacia la vida adulta. Aunque hoy en día ya no existe el servicio militar obligatorio, en muchos lugares los quintos se han mantenido como tradición al recordar a los antiguos festejos. En Pedrosillo ya no se celebran desde hace años, pero en su tiempo tuvieron mucha importancia. Incluso podemos observar en la actualidad pintadas que hacen referencia a esta fiesta en casas antiguas del pueblo.

Al igual que en muchos otros lugares, era tradición en Pedrosillo que los quintos, tanto los que entraban como los que salían, colocaran en la plaza un mayo, es decir, un palo alto engalanado con diferentes adornos, y organizasen una comida o una merienda el 17 de enero por san Antón, su patrón. Las madres ya tenían preparado un conejo o un gallo para que, cuando el hijo cumpliese la mayoría de edad, pudiese llevarlo para hacer la comida con el resto de sus compañeros. Como comentamos con anterioridad, también era costumbre que los quintos fuesen a pescar con redes en la laguna, cuando las espadañas todavía no se habían extendido por su superficie, de manera que pudiesen vender los peces que habían recogido y así pagarse sus quintadas.

Fiesta de la Machorra

Esta costumbre, que procede de tiempos remotos, tenía lugar todos los años después de la cosecha. Cuando esta terminaba, quedaba lo que se denomina la rastrojera, es decir, la parte baja de las plantas que queda después de segar. Estas tierras se arrendaban para el ganado en forma de subasta pública. Había bastante competencia, sobre todo en épocas de hambruna, por lo que eran numerosos los ganaderos que venían a pujar con la intención de ser el mejor postor. Aquel que ofrecía la mayor cantidad de dinero adquiría el aprovechamiento de los pastos para su ganado. A cambio, este ganadero debía ceder una machorra al pueblo. Se denomina machorra a las hembras estériles, aunque en este contexto no era necesario que lo fuera. Por lo tanto, machorra era simplemente la oveja que se donaba al pueblo. Esta, entonces, se mataba y se hacía una merienda a la que acudían todos los vecinos y en la que pasaban un agradable rato comiendo en compañía.

La matanza

Esta tradición arraigada en tantos pueblos de España siempre ha sido muy importante en Pedrosillo. Teniendo en cuenta que prácticamente todo lo que se comía era de autoconsumo (las familias tenían gallinas para los huevos, cabras para la leche…) y poco se compraba de fuera, este tipo de costumbres eran muy notorias hasta hace algunas décadas. Aunque no sea tan multitudinaria como antaño, debido a la disminución de la población rural y los avances en la alimentación, hoy en día se sigue practicando en alguna ocasión en nuestro pueblo. Para conocerla en profundidad, debemos preguntar a nuestros mayores pedrosillanos cómo se realizaba años atrás. Algunos nos cuentan que en cada casa se criaban un par de cerdos a los que se alimentaban con pienso durante año y pico, hasta que superaban los 200 kilos cada uno. Luego en septiembre, en la feria, compraban un churro (carnero de pelo y lana largos), lo cebaban bien y posteriormente se mataba junto con el resto de los animales en invierno. Otros cuentan que en algunas casas incluso se mataban cuatro cerdos y una vaca. Después se abrían, se limpiaban y se dejaban colgados. La carne se picaba, las mujeres la aderezaban, preparaban la tripa (una ataba y otra capaba), mientras que los hombres hacían girar la manivela. Se hacían chorizos, farinato, morcilla… Era imprescindible que los vecinos se ayudaran entre ellos, puesto que no era tarea fácil apresar los cerdos. El producto de la matanza debía ser preservado prestando especial cuidado, pues factores como la lluvia o las corrientes de aire pueden influir negativamente en el proceso de curación. Así, dependiendo de las condiciones ambientales, este proceso tardaba más o menos. Los embutidos más recientes también se asaban y se podían comer antes de su completa curación. Además, era costumbre hace ya unas cuantas décadas ofrecer parte del producto de la matanza al médico y al maestro del pueblo. Se cuentan también algunas divertidas anécdotas que

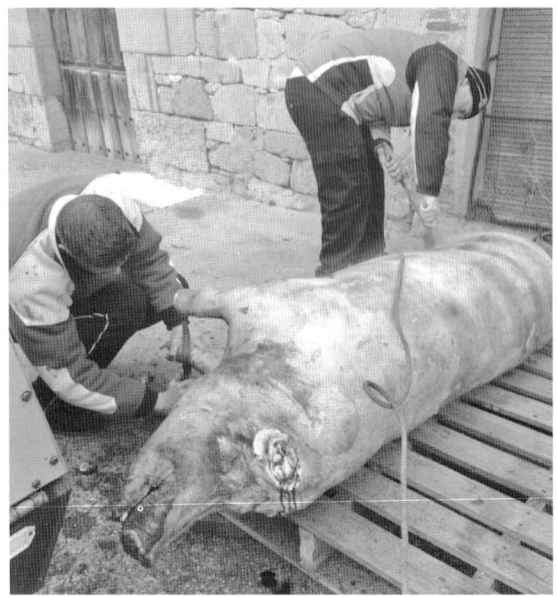

*Instantánea de la matanza realizada
en diciembre de 2015*

tenían lugar en esta época del año en nuestro pueblo. Como no había prácticamente luz en las calles, por la noche se hizo en cierta ocasión una jugarreta consistente en realizar unos agujeros a un cántaro de manera que pareciesen unos ojos, una nariz y una boca. Así, al colocarle una vela en su interior, se podía asustar a la gente que apareciese por la calle. Las chicas también tenían una divertida costumbre que consistía en dejar colgada una calabaza en la ventana de la casa de algún chico que les gustase. Cuando lo veía la gente, decía: ¿Quién habrá sido? Pero, al ser el nuestro un pueblo pequeño, finalmente se acababa sabiendo.

El lavado de ropa antes del agua corriente

Hasta bien entrado el siglo XX en Pedrosillo todavía no había agua corriente en las casas y, como ya hemos visto, el abastecimiento procedía de los diferentes pozos que había repartidos por el pueblo. Es por ello por lo que la cotidiana tarea de lavar la ropa, que hoy en día se realiza sin mucho esfuerzo, era mucho más dura décadas atrás. Nos cuentan que, en ocasiones, las mujeres tenían que levantarse a las cuatro y media de la mañana, montarse en las caballerías y desplazarse hasta los lavaderos que había en el río Tormes en Aldealengua. Si acudían a los lavaderos del pueblo, esta tarea se podía realizar en otros momentos del día y los maridos, mientras tanto, iban juntos al bar a echar el rato jugando la partida. Una vecina nos cuenta que ya desde muy pequeña le tocaba acompañar a sus mayores en esta labor y que, debido a su corta edad y a la oscuridad que había a esas horas de la madrugada, a veces pasaba miedo, pues ciertas plantas se le asemejaban a hombres agazapados. Cuando llegaban al río, no se veía nada y, en ocasiones, los toros bajaban a beber, lo que realmente las sobrecogía mientras confiaban en que pasaran de largo y no se acercasen a donde ellas se encontraban. Tenía cierto riesgo, pues esta pedrosillana nos cuenta que un día, ya siendo más mayor, se le inclinó el lavadero y se cayó al río. Afortunadamente pudo agarrarse rápido a unos juncos y consiguió salir sin más

Los antiguos lavaderos

consecuencias que un tremendo susto. También se hacía la colada en algunas charcas de alrededor y, como hemos dicho, en los lavaderos que se encuentran en un extremo del pueblo, en la calle homónima, aunque se prefería el agua del río. Después dejaban secar la ropa en una tierra contigua para que le diera el sol y así estuviesen más blancas las prendas. Los inviernos eran muy duros y, cuando iban a los lavaderos, tenían que romper el carámbano para permitir que saliese el agua.

Las cofradías

Otro asunto de la vida cotidiana de las gentes de antaño relacionado con la actividad religiosa eran las cofradías. Estas son asociaciones de fieles que se reúnen en torno a una determinada advocación de Cristo o de la Virgen. La congregación permite a los devotos compartir su fe con otras personas, además de poder realizar obras de piedad. Este tipo de hermandades siguen presentes en nuestros días, aunque antiguamente tenían una importancia mucho mayor en la vida rural, y Pedrosillo no es un caso menor. Hoy en día sabemos que en nuestro pueblo al menos existieron cinco cofradías. Desde luego más de un lector estará sorprendido de este número, pues resulta una cantidad elevada para un pueblo pequeño como es y siempre ha sido el nuestro. Por orden de antigüedad de las referencias encontradas, las cofradías que hubo en Pedrosillo fueron: cofradía de Nuestra Señora de Gracia, cofradía de la Vera Cruz, cofradía de Ánimas, cofradía del Santísimo y cofradía del Rosario. Estas cinco, al menos, nos consta que ya existían desde principios del siglo XVIII y, muy probablemente, desde hace algunos años más atrás.

Sin duda la cofradía de mayor importancia en Pedrosillo es la de Nuestra Señora de Gracia. Los documentos parroquiales que se conservan de esta hermandad van desde 1706 hasta 1965. A pesar de su importancia, en el siglo XVIII no era la que más cofrades tenía, como veremos al tratar las demás. En agosto de 1731 eran 48 los hermanos que pertenecían a esta cofradía. No sabemos cuándo tuvo lugar su fundación, tan solo nos indican en documentos del anterior año mencionado que «de tiempo inmemorial se celebra en este lugar». Suponemos que comenzaría a existir tres siglos antes, con la edificación de la ermita, la más antigua mención encontrada es de 1573. Los cofrades de aquella época indican que querían encaminar su vida a la veneración de «la soberana reina de los ángeles María Santísima de Gracia» para que esta les diese su candor y pureza e intercediese por ellos y por los hermanos difuntos para que sus penas fuesen redimidas. En este año de 1731 se redactan ocho «constituciones» para velar por el correcto funcionamiento de la cofradía. Primeramente, se dice que cualquier persona que quiera entrar en ella estaba obligada «a pedirla en público cabildo» y a pagar de entrada una libra de cera, a principios del siglo XVIII, y dos reales a mediados de siglo. Todos los cofrades, ya fuesen de Pedrosillo como de fuera, estaban obligados a asistir a misa la víspera del día de Nuestra Señora de agosto, bajo pena de un real. Además, por asistir, los cofrades tenían el privilegio de recibir de parte de los procuradores una libra de fruta, «la mejor que se pudiere haber», y un cuartillo de vino. Los procuradores también debían de mandar decir 25 misas rezadas por las almas de todos los hermanos vivos y difuntos y, por cada cofrade o cofrada que falleciese, una misa cantada con su vigilia, pero sin ofrenda. Además, debían de mandar celebrar las vísperas y la misa mayor con su sermón el día 15 de agosto de cada año con la asistencia de los señores sacerdotes. Aquel cofrade que quisiese dejar la hermandad «movido de alguna pasión humana», debía de pagar una multa de 8 reales, aunque, si en los ocho días siguientes se arrepintiese y quisiese volver, lo podría hacer y se le anularía la multa.

La mayor parte del dinero que recaudaban se debía a las limosnas, aunque también recibían de los cofrades del pueblo, de los que ingresaban nuevos, de los forasteros y de las multas. Todo este dinero que recibían se empleaba en costear las misas que tenía de carga al año la cofradía, los aniversarios de los difuntos, el sermón del día de Nuestra Señora de agosto, la cera y los refrescos que recibían los cofrades después de las vísperas. Cada seis u ocho años, el obispo de Salamanca se trasladaba a Pedrosillo para revisar las cuentas de la cofradía y velar por el cumplimiento de los actos y los fines de esta humilde hermandad. La casa del ermitaño era propiedad de esta congregación, además de 10 tierras de secano «que producen un año de dos» y la alameda de la ermita. En 1898 había 39 pedrosillanos que contribuían a la recaudación de la cofradía, además de 12 de Salamanca y otros pueblos de La Armuña. Seis años después había siete cofrades más del pueblo. En 1964, último año registrado en los libros antiguos de la cofradía, eran 77 los vecinos del pueblo que participan en ella. Después, esta desaparece y permanece así la situación hasta medio siglo después. En el año 2009 es recuperada y en 2015 contaba con 120 cofrades.

La cofradía de la Vera Cruz, o de la Santa Veracruz, aparece desde 1707 en documentos de la parroquia de San Andrés, aunque su fundación se estima en torno al año 1640. Desde luego, adeptos no le faltaban, pues en 1724 eran 167 los cofrades que participaban en esta hermandad religiosa. El dinero necesario para llevar a cabo sus obras lo recibían principalmente de limosnas y de los propios cofrades, que se solían dividir en grupos tales como cofrades de luz, cofradas viudas, cofrades nuevos, cofrades forasteros e incluso cofrades difuntos que donaban dinero póstumamente. También se cobraban multas a aquellos que faltaban a las «misas de apremio» y a aquellos que no se disciplinaban (hacer acto de penitencia) cuando estaban en condiciones de hacerlo. El dinero se empleaba en pagar a los sacerdotes y a los predicadores, además de ciertos productos necesarios para las celebraciones como cera y vino. Poseía en 1752 dos tierras de secano «que producen un año de dos». Muy curioso es conocer también que, en las cuentas de las primeras décadas del siglo XIX, se especificaba la compra de tabaco para curar las llagas de los hermanos penitentes. Ciertas ordenanzas o normas regulaban el funcionamiento de esta cofradía, las más antiguas se hallaron en 1731, al igual que las de la cofradía de Nuestra Señora de Gracia, redactadas para «encaminar todas nuestras obras a la consecución de nuestro último fin que es ver a Dios». Se nos indica también la motivación de estos fieles pedrosillanos para mantener viva esta cofradía y la importancia de la pertenencia a esta hermandad: «Erigimos y establecemos una cofradía o unión de nuestras almas a este Señor con el nombre gloriosísimo de la Santa Veracruz, para que sea todo nuestro empleo el de sentir los tormentos que el Señor padeció en ella y celebrar las glorias que nos adquirieron aquellas penas, procurando con ardiente celo redimir las que padecen nuestros cofrades en el purgatorio por el medio de la puntual observancia de los estatutos a que nos obligamos, pidiendo solo a Su Majestad el que permita que cedan en su mayor honra y gloria, y que permanezcan así hasta el fin del mundo».

La cofradía debía contar, «para el buen gobierno de esta hermandad», con dos mayordomos, dos ayudantes y un secretario. Los dos mayordomos que terminasen su cargo cada año eran nombrados alcaldes de la cofradía. Si algún cofrade caía enfermo de gravedad, los mayordomos debían asignar a algunos hermanos la tarea de que lo asistiesen de dos en dos hasta que este mejorara o falleciese. Cada año se decían cinco misas cantadas: la primera, día de la Exaltación de la Cruz, el 14 de septiembre; la segunda, día de san Francisco, el 4 de octubre; la tercera, día de san Esteban, el 26 de diciembre; la cuarta, día de la Anunciación de Nuestra Señora, el 5 de marzo; y la quinta, día de la Invención de la Santa Cruz, el 3 de mayo. Los cofrades de menos de 45 años estaban obligados a la realización de ciertas prácticas, como llevar a cabo el segundo toque de campanas en Jueves Santo, para lo que debían vestir con túnica larga y estar descalzos. También existía un plan de acción detallado cuando algún hermano que hacía acto de penitencia durante una procesión tenía riesgo de desangrarse. Cuando esto ocurría, el hermano era llevado a la casa de concejo, donde le tenían preparado vino cocido con romero y paños limpios. Después de haberlo curado, se le daba un bollo de una libra, media libra de higos o aceitunas y dos tragos de vino. La información encontrada sobre esta cofradía termina en 1989.

Continuamos con la cofradía de las Ánimas de Pedrosillo, conocida en el siglo XVIII como Escuela de Cristo o Hermandad con las Benditas Ánimas del Purgatorio del Lugar de Perosillo Ralo. En el año 1721 es refundada por 40 congregantes vecinos del pueblo, los cuales redactan 10 constituciones para regular el buen funcionamiento de esta escuela. En ellos se indica que cualquiera que quisiese ser admitido en esta hermandad debía ser «de buenas costumbres; sin que en él se halle vicio alguno escandaloso, o público, que cause nota». Tampoco admitían a forasteros («que a ellos desde luego los excluimos»). Todos los hermanos estaban obligados a celebrar una vez al año un aniversario general (fiesta mayor) con vísperas el día antes, misa mayor con su vigilia e invitatorio el día siguiente, que debía ser uno de los últimos ocho días de septiembre o de los ocho primeros de octubre, y a los que debían asistir ocho sacerdotes seculares que, si fuese posible, se escogiesen de entre los hijos de los vecinos de Pedrosillo. El día antes del aniversario general, después de las vísperas que se habían de celebrar por las almas benditas, los cofrades debían de juntarse en un lugar que escogiese el hermano mayor y este tenía la obligación de dar en casa a uno de los hermanos o hermanas un bollo de una libra y dos vasos de vino. Si alguno de los cofrades fallecía, el resto debía de visitar dos veces los altares y rezar por el alma del difunto o difunta dos veces de rodillas la estación mayor del Santísimo Sacramento. Tenía en su posesión en 1752 seis tierras de secano «que producen un año de dos» y cuatro prados también de secano. En 1842 esta cofradía tenía 44 miembros, de los cuales 25 eran hombres y 19 mujeres. En la segunda mitad del siglo XIX, se denominaba cofradía de las Benditas Ánimas y es en el año 1890 en el que terminan las referencias encontradas sobre esta hermandad de Pedrosillo.

De la cofradía del Santísimo o del Santísimo Sacramento no tenemos tanta información como de los anteriores, puesto que solo se ha encontrado alguna información en el libro maestro del estado eclesiástico de 1752 y un libro de cuentas en el que no figuran normas ni procedimientos que puedan ahondar en las costumbres y los ritos de esta hermandad. Tampoco se sabe cuándo se fundó, tan solo sabemos que el libro de cuentas recoge gastos e ingresos desde 1725 a 1806, y que volvemos a encontrar información sobre ella desde 1937 hasta 1989. Al igual que las otras cofradías del pueblo, la mayor parte del dinero se obtenía a partir de limosnas y aportaciones de los cofrades, aunque desconocemos cuántos había. Anualmente también era muy común que se ingresara dinero por el cobro de hornazos. Esta palabra, antiguamente, hacía referencia a un tipo de obsequio que los vecinos de un lugar entregaban al orador como señal de agradecimiento después del sermón que se daba en el día de Pascua de la Cuaresma. La mayor parte de lo recaudado se gastaba en los diferentes ritos religiosos a lo largo del año, como los sermones, los materiales para las procesiones o la fiesta del Corpus. También era costumbre que se invitase a un refresco a los mozos que salían a pedir en Navidad por los pueblos de alrededor. Esta cofradía poseía en 1752 ocho tierras de secano «que producen un año de dos». A partir de 1937, las cuentas de la cofradía del Santísimo aparecen conjuntamente a las de la cofradía de la Santa Veracruz. Puede ser que ambas se uniesen debido al bajo número de cofrades (en 1936, la de la Veracruz tenía 13). Al año siguiente había 41 cofrades mayores de 25 años y 50 menores. A partir de ese año figuran cuatro fiestas de apremio que tenían en común: la Exaltación de la Santa Cruz, la Encarnación del Hijo de Dios, San Francisco de Asís y San Esteban Protomártir.

La quinta cofradía es la de Nuestra Señora del Rosario, cuyo libro de cuentas de la parroquia guarda información desde 1725 a 1803. No sabemos la fecha de fundación, pero sí se nos indica que esta cofradía ya existía en Pedrosillo antes de 1689. Poseía en 1752 tres tierras de secano «que producen un año de dos» y un prado también de secano. Al igual que hicieron otras cofradías también en el siglo XVIII, esta es refundada en 1725. Primero se manda que la imagen de Nuestra Señora del Rosario se coloque en el altar al lado de la epístola y que la fiesta principal sea el primer domingo de octubre. Esta fiesta debía ser celebrada con mucha devoción por todos los cofrades. Las constituciones que se declaran para el correcto funcionamiento de la cofradía son aquellas que se aprobaron «por autoridad apostólica» en 1475. A diferencia del resto de cofradías, aquella persona que quisiese entrar en esta no estaba obligada a pagar por el hecho de inscribirse. Cada cofrade debía rezar cada semana el Rosario haciéndolo entero de una sola vez o dividiéndolo en partes o por días. Además, debía ayunar en la vigilia de santo Domingo de Guzmán, primer fundador de esta cofradía. Si por cualquier circunstancia un hermano no rezase el Rosario, esa semana se vería privado de todos los beneficios y bienes derivados de la labor que hacían los cofrades por todo el mundo. Vemos que las normas de esta cofradía son mucho más benévolas que las de las otras que hemos conocido. Si alguien quería rezar el Rosario por las almas de los difuntos, debía escribir en el libro de la cofradía el nombre de dichos finados, lo que ayudaría a salir del Purgatorio. Esta hermandad ordena que al año se debían de realizar cuatro aniversarios por los difuntos los días inmediatos después de las cuatro festividades de la Purificación, Anunciación, Asunción y Natividad de la Virgen, con la obligación de que asistiesen todos los cofrades.

LAS FIESTAS

Muy significativo es el tema que vamos a tratar a continuación puesto que, desde tiempos inmemoriales, los festejos y las celebraciones de diversa índole han sido una clara muestra del modo de vida y el carácter de las gentes de un lugar. En las fiestas de los pueblos se ven reflejadas las tradiciones, las creencias, las costumbres y la forma de ser de sus habitantes. Son fechas donde prima la alegría, la hospitalidad, la generosidad y las ganas de estar rodeados por familiares y amigos. También es una forma de mirar al pasado, participando de antiguas tradiciones; de mirar al presente, disfrutando del momento y del cariño de la gente; y de mirar al futuro, con intención de preservar y mejorar aquello que tanto nos une y que nos hace pasar unos días tan especiales. Algunos festejos desaparecen, otros se mantienen impertérritos a lo largo del tiempo e incluso algunos son creados a partir de vivencias que quieren convertirse en tradición.

En Pedrosillo existen actualmente dos festividades que se celebran en honor al patrón y la patrona. Desde los inicios del pueblo, como ocurre en prácticamente todos ellos, la vida ha girado en torno al culto religioso. Los patrones de los pueblos son en muchas ocasiones un santo y una advocación de la Virgen (como ocurre con Pedrosillo) y las fiestas se celebran para honrarlos a ellos mediante eucaristías, procesiones y ofrendas. Sin más dilación, pasamos a hablar sobre las fiestas de san Andrés y las de la Virgen de Gracia.

San Andrés

La festividad de san Andrés, también conocida como *Fiesta Chica*, tiene menor protagonismo que la de la Virgen de Gracia y resulta más humilde, al tener un programa mucho más corto y celebrarse en una fecha con temperaturas bastante bajas. Aun así, estas circunstancias han hecho que estos festejos tengan un agradable carácter más familiar. El santoral sitúa a san Andrés el 30 de noviembre y este es el día de la celebración, aunque los últimos años se ha buscado organizar este evento el sábado más cercano para mayor disponibilidad de pedrosillanos y allegados. Un típico dicho armuñés reza aquello de: «Dichoso mes, que empieza con Los Santos y termina con San Andrés» haciendo referencia al mes de noviembre en el que se celebran estas dos festividades.

Antiguamente tenía lugar una solemne misa seguida de una procesión de la imagen del patrón del pueblo que recorría las calles y en la cual la asistencia era multitudinaria. Tampoco podía faltar una amenización por parte de grupos de baile charro. Se procedía más tarde a una exquisita comida en forma de paellada o parrillada y, mientras de fondo sonaba la música de un tamborilero. Por último, por la noche tenía lugar un animado baile en el interior de un local, pues la meteorología de esa época del año no resulta adecuada para la celebración al aire libre.

Hoy en día, esta tradición sigue vigente, aunque algo diferente. Ya no se celebra misa por la mañana, ni hay orquesta por la noche, pero no falta la reunión de los vecinos en torno a la mesa. El menú suele consistir en un rico cocido hecho, como no podía ser de otra manera, con garbanzos pedrosillanos o, en su defecto, patatas con carne. El tamborilero tampoco puede faltar y, durante la sobremesa, es costumbre que algunos asistentes bailen al son de este. Como decíamos antes, esta festividad es mucho más tranquila y familiar que la de la patrona, y es una muy buena oportunidad para reencontrarse con aquellos vecinos que no viven todo el año en el pueblo y, de esta manera, no limitarse a verse tan solo de verano en verano.

Virgen de Gracia

Indudablemente, esta es la fiesta mayor del pueblo, lo cual no hace extrañar que se conozca también por el nombre de *Fiesta Grande*. A diferencia de la anterior, que siempre se ha celebrado el mismo día o en torno a él, la fecha de la fiesta de la patrona se ha desplazado por el calendario a lo largo de la historia. Antiguamente se celebraba el 15 y 16 de agosto y se decía de ella que era solemnísima. Esta estaba acompañada de tradicionales corridas de novillos, lo que parece ser la razón de que hoy en día existan unas tierras junto a la ermita que reciben el nombre de *El Toril*. Esta fecha debió de existir hasta principios del siglo XIX cuando, debido a la coincidencia con la recolección del verano, la cual hacía disminuir la asistencia de muchos, se decidió pasar la fiesta al segundo domingo de octubre. Esto fue así durante casi dos siglos hasta que, en 1995, se cambió al primer domingo de agosto, y se intenta hoy en día que el viernes, sábado y domingo de las fiestas sean de ese mes. Este cambio se produce por el deseo de poder reunir al mayor número de gente posible del pueblo y de alrededores, y es, sin duda en verano cuando se produce la mayor afluencia de personas en los pueblos. Es curioso cómo cambian las costumbres y la forma de vida, puesto que la razón por la que se cambió primeramente de fecha fue la misma que hizo que se volviese a celebrar en agosto muchos años después.

Antiguamente, cuando la Virgen se encontraba en su ermita, la procesión se realizaba desde allí y discurría hasta una cercana cruz. Durante el siglo pasado, era costumbre ir de romería a buscar a la Virgen. Se traía al pueblo, donde permanecía uno o dos días y se volvía a llevar a la ermita. Mientras la imagen volvía a su lugar sagrado, se iban subastando de los banzos que la sujetaban pujando aquellas personas que querían llevarla a cuestas en la procesión del año siguiente. De esta manera, las pujas más altas tenían lugar en los instantes antes de la entrada en el templo. En la actualidad, como la imagen se custodia en la iglesia parroquial, la procesión se realiza alrededor de esta en sentido antihorario. La subasta no se realiza en movimiento, sino que es llevada a cabo rodeada de todos los feligreses antes de introducirla de nuevo en la iglesia. Dos misas son las que se daban y se siguen dando hoy en día, el sábado y el domingo, esta última a continuación de la procesión que hemos comentado. Esta subasta de los banzos lleva realizándose en Pedrosillo desde mucho antes que nacieran los vecinos más mayores que residen en el pueblo y tiene la peculiaridad de que es el único pueblo, al menos de La Armuña, en el que se hace. Actualmente, además, se venera a la Virgen mediante una entrega floral el viernes de las fiestas. Los feligreses y, mayoritariamente, las feligresas depositan flores en la iglesia junto a la imagen de la patrona. Margaritas, claveles morados o decorativos gladiolos llenan el templo de color y embriagadores olores.

Para aprender un poco más sobre la forma de celebrar estos festejos en honor a la patrona podemos indagar en las crónicas que se han escrito desde hace muchos años en los periódicos regionales. Empecemos por el relato de las fiestas celebradas el 9 y 10 de octubre de 1898. Como acabamos de comentar, los dos días de la fiesta contaban con actos religiosos y los de este año corrieron a cargo del párroco don Enrique Ramos. Muchos fueron los devotos que hicieron sus ofrendas a la Virgen a lo largo de la procesión. Los bailes fueron muy animados, hubo gran afluencia de público, y se lucieron valiosos trajes

Imagen de la Virgen de Gracia en la iglesia y estandarte y bastones utilizados en la procesión

de charra y armuñesa. La noticia concluye narrando el espectáculo de fuegos artificiales que costeó el dueño del molino don Prudencio Santos y que llamó la atención de todos los presentes.

Como ya se vio, fue en el año 1922 cuando se inauguró el frontón de pelota del pueblo, el cual fue un referente para todos los pueblos de la zona. Tanto es así que los periódicos de Salamanca se hicieron eco durante muchos años de los partidos que tenían lugar en Pedrosillo. A modo de ejemplo, veremos cómo fueron las fiestas del año siguiente a la inauguración del frontón. El domingo 14 de octubre de 1923 tuvo lugar un partido de pelota entre tres jugadores de Gomecello, uno de Pitiegua y los apodados *El Herrero* y *El Cerero,* de Pedrosillo. El partido debió de ser interesantísimo, pues, según cuentan, eran los mejores jugadores de los alrededores. También se da cierta información acerca de otras actividades del programa de fiestas de ese año. Para hacer más extensos los festejos, los jóvenes contrataron la dulzaina de San Moral, que debutó el sábado anunciando la fiesta, además del domingo y el lunes, cuando también tocó en el baile. Se indica que también llevaron un manubrio (organillo que se hacía sonar por medio de una manivela) que tocaría las noches de domingo y lunes en un local que tenían preparado para ello.

Algunos de los más veteranos vecinos del pueblo nos cuentan cómo era la festividad en honor a la Virgen de Gracia en su juventud. Una de las citas ineludibles eran los bailes, que no empezaban a las doce como ahora, porque a esa hora ya habían acabado, sino que lo hacían a las cinco de la tarde. Había bastantes bailes y se hacían junto a la carretera de La Vellés, en las eras de la izquierda. Era también costumbre el *baile a mediodía*, al que iba mucha gente de Pedrosillo y de pueblos de alrededor. Era muy típico que las señoras se llevaran el taburete para verlo sentadas. En cuanto a la parte religiosa, hasta hace algunos años, el alcalde invitaba a que viniera a predicar en las fiestas un cura diferente al que solía dar misa en la iglesia. Se lo traía en coche o, más comúnmente, iba en taxi hasta el pueblo específicamente para dicha tarea encomendada.

Son variadas las formas que ha habido a lo largo de la historia de comenzar este tipo de festejos, aunque una de las más características son los pregones. Numerosos han sido los pregoneros que han inaugurado año tras año las fiestas de la Virgen de Gracia en Pedrosillo y algunos de sus discursos son dignos de recordar. A modo de ejemplo, podemos leer a continuación un fragmento del pregón que dio Ignacio Carnero el día 6 de agosto de 1999:

> «[…] En este retirado y tranquilo rincón del universo llamado Pedrosillo el Ralo, olvidemos ahora bulos, patrañas o infundios, especulaciones tontas, en suma, más hinchadas, si cabe, por algunos medios de comunicación, carentes de noticias interesantes en esta época estival. Arrinconemos en el más oscuro recoveco de la memoria todas esas chismoserías nada serias, dado que los festejos en honor de la Virgen de Gracia van a iniciarse en estos instantes, siendo quien os habla el encargado de proclamarlos.
>
> Pues bien; siempre, aun cuando varias de sus novelas y bastantes de sus cuentos estén ambientados en el imaginario pueblo de Sorrubio, siempre ha confesado el pregonero que no conocía del campo más que las amapolas.
>
> Tal es su ignorancia en cuestiones rurales, que extrañará y hasta parecerá osadía, por tanto, que en esta noche recién estrenada, en este recóndito lugar en el corazón de La Armuña eminentemente agrícola, un lego capitalino venga a cantaros vuestra virtudes, gracias y tesoros, conforme se acostumbra en los menesteres pregoneriles […].

Tras aceptar el encargo de este pregón, en su primera visita para recorrer el lugar a cuya vera tantas veces antes pasara, aunque desde antiguo conocía los impares y suculentos garbanzos pedrosillanos, así como sus famosas lentejas; y para poder cantar alguna excelencia vista con ojos extraños, que suelen apreciar más y mejor que quienes ya están un tanto avezados por la rutina, el pregonero, sobre todo, quedó prendado con la afabilidad de sus vecinos, bastantes de los cuales se reúnen esta noche canicular en torno al vocero que preludia estos días agosteños durante tanto tiempo esperados.

Se acercó a conocer este Pedrosillo el Ralo, el raro o el no común, pues cualquier pregón debe prepararse no sin esmero; tanto si está destinado para la capital, cuanto si es para un punto que no figure ni en el mapa. Pues el sol que nos alumbra, la luna que nos ilumina y las estrellas que parpadean son las mismas en Madrid, Salamanca y Pedrosillo el Ralo, este antañón pueblo armuñés, cuyo nombre era ya citado en escritos de 1421, setenta años antes del descubrimiento del Nuevo Mundo.

Bajo un sol de rigor descansó el forastero junto a la laguna. Esa, de la que en 1850 se dijo que era culpable del clima mal sano, en razón de los efluvios que se desprendían de sus aguas; esa, antaño convertida en vertedero, más animada hoy, casi edénicamente, por simpáticos patos negros, y donde pueden pescarse hermosas tencas; esa misma, plagada de espadañas, como cohetes dispuestos para ser encendidos y estallar en el terso cielo.

Luego de perder la vista largos minutos por esos rubios mares de tierras de pan llevar, deslumbrantes de puro luminosas, y ya solo rastrojeras, pero en las que dentro de no mucho tiempo se abrirán nuevos surcos para el siguiente grano, el pregonero, a la pata la llana, recorrió el pueblo de cabo a rabo. Y si bien no sabe distinguir un garbanzal de un lentejar, tiene fama de experto conocedor de almas, advirtiendo ya en los primeros contactos con cuantas personas trató brevemente, el recio contraste entre la aspereza de una tierra seca y un paisaje monótono, y unas gentes nada adustas, sino antes bien, abiertas a la palabra cordial y a la hospitalidad, virtud esta cada día más peregrina.

En el atrio de la iglesia, bajo la sombra y el crotoreo de las cigüeñas, admiró al forastero la generosidad de los pedrosillanos, quienes no han regateado esfuerzos ni dineros para restaurar ese templo que levantaran hace tantos años sus ascendientes, con no pocos sacrificios y sudores. Todavía, sin embargo, es menester luchar con denuedo desde el Ayuntamiento, sea este del color que fuere, para que instituciones provinciales y regionales se decidan a cooperar, y presto se remate la techumbre de la torre de la iglesia parroquial. Porque clama al cielo que ese punto, el más alto del poblado, faro y mirador desde donde deben de divisarse los inmensos horizontes y confines de La Armuña, se teche cuanto antes, no sea el diablo que un aciago día se desplome y vengan al suelo sus cuatro campanas. Pues, no sin fruto, ellas repicaron dando la bienvenida a tantos y tantos antepasados y a bastantes de vosotros; no en balde, tocaron con regocijo en los casamientos de vuestros progenitores y de vosotros mismos; y no en vano, por fin, tañeron, lúgubres, dando el adiós a muchos seres queridos, y despedirán, ¡ojalá sea dentro de muchos años!, a quienes aquí estáis reunidos para empezar la fiesta del pueblo. [...]

Que venga la alegranza en esta fascinante noche veraniega; en esta noche recién estrellada y que, dentro de breves instantes, borrando el titilar de todos los astros del firmamento, rasgarán los multicolores fuegos de artificio; unas luminarias que, además de sobresaltar a los plácidos patos de la laguna, a las cigüeñas y las palomas del campanario y enloquecer a los murciélagos noctívagos, se divisarán, no sin envidia, desde los pueblos de los alrededores. Y cuyos estallidos, junto con el eco de vuestras voces de júbilo, se han de escuchar, a buen seguro que, con cierta pelusa o dentera, en La Vellés y Villaverde de Guareña, en Gomecello y Castellanos de Moriscos, en Negrilla de Palencia y Palencia de Negrilla, curiosos nombres estos que juntos son capicúas.

Estalle por fin el gozo pues según reza el refranero, la alegría es el mayor bien de la vida; un tesoro que vale más que el oro; una hora de alegría compensa diez malos días; la alegría en el alma sana se cría; la alegría alarga la vida; y la alegría es flor de un día

Aprovechad las muchas horas que ahora comienzan, pues solo un par de días dura la fiesta, y hasta otro año mucho resta. Pero con mesura, morigeración o templanza —que no es igual que templarse—, porque el exceso de vino agua las fiestas, que, si largo deseadas, como por arte de birlibirloque, son harto presto pasadas.

Entre los ruidos de los cohetes, la música y los bailes, unos recordarán con nostalgia; descansarán de sus quehaceres y afanes diarios, otros; estos, se divertirán viendo cómo gozan los demás; y los jóvenes, disfrutarán hasta que el cuerpo aguante, pues no en vano la juventud y el amor son lo mejor de lo mejor, y la mancebez solo se vive una vez [...]

¡Pedrosillanos, pedrosilleros o pedrosillenses! ¡Armuñeses! ¡Forasteros, que esta noche tenéis el privilegio de visitar este raro y nada común lugar, pues ese y no otros es el significado del apellido de este Pedrosillo, que recibe con sus brazos abiertos de par en par a cuantos por aquí pasan invitándoles siempre a volver! ¡Por orden del señor alcalde, el pregonero anuncia que ha llegado el momento de empezar a divertirse ya, pues la vida es corta, y pasarla alegre es lo que importa! ¡Felices fiestas!»

Por esos años se realizó un curioso concurso que hoy en día se sigue recordando. Este consistió en soltar un pequeño cerdo en las eras, engrasarlo y que la gente tratase de atraparlo. Para ello fueron algunos de los miembros de la corporación municipal a La Orbada a buscar un lechón. Cuando lo trajeron al pueblo, este no daba ni un paso y menos ganas tenía aún de ponerse a correr. Al ver esta situación volvieron a La Orbada a comprar otro y esta vez se aseguraron de llevarse al más inquieto. En efecto, al volver al pueblo y tras engrasarlo, este comenzó a correr de tal manera que a los participantes les resultó más complicado atraparlo de lo que imaginaban, pero todos pasaron un rato muy divertido.

El actual programa de fiestas es muy variado, atractivo y de interés para todo tipo de gustos y edades. Este tiene una estructura más o menos establecida que se repite de año en año, y busca siempre la innovación y la mejora de sus actividades de cara al futuro. Gracias a la ilusión y el esmero del consistorio y a la colaboración desinteresada de los vecinos, estos festejos son todo un éxito. Actualmente se suelen extender de martes o miércoles a domingo y se dividen en dos partes: una que comprende actividades culturales y otra correspondiente a las fiestas patronales en sí.

Programas de fiestas de varios años

La parte cultural tiene lugar entre semana y algunas de sus actividades cuentan con la colaboración económica de la Diputación. Algunos ejemplos son talleres de manualidades, torneos de cartas, proyección de películas o exposiciones. Incluso, en los últimos años, dadas las buenas condiciones que presenta el cielo nocturno de Pedrosillo, se han organizado algunas observaciones astronómicas a través de telescopios, las cuales han sido muy bien recibidas por los vecinos. De viernes a domingo la estructura suele repetirse de año en año con alguna variación. La ofrenda floral a la Virgen, guerra del agua, barbacoa o juegos infantiles no pueden faltar en el programa de fiestas cada verano. Y luego, dependiendo del año, podemos disfrutar de concursos variados, bingos, campeonato de fútbol, yincanas para adultos y niños, etc. No puede faltar tampoco el convite que organiza el Ayuntamiento para los vecinos del pueblo y las noches de música y baile. Es costumbre desde hace unos cuantos años, al igual que ocurre en muchos pueblos de alrededor, llevar una disco móvil el viernes y una orquesta con música en directo el sábado. Actualmente el escenario (salvo contratiempos meteorológicos) se coloca en lo que se conoce como «la plaza del pueblo» que comentábamos unos capítulos más atrás. Hace unos cuantos años esto no era así, puesto que la orquesta solía tocar en las eras de la Ronda del Moral.

Este tipo de fiestas basan su éxito y su disfrute en la gran participación de la gente del pueblo y de fuera. Por eso no es de extrañar, con relación a lo que comentábamos hace unas líneas, que un gran número de pueblos armuñeses hayan trasladado las fiestas al mes de agosto. Dada la naturaleza y las características demográficas de estos pueblos (muy pocos superan los mil habitantes censados y algunos de ellos están en torno a los cien o incluso por debajo), se hace imprescindible la participación de los lugareños de los municipios aledaños en los festejos de cada uno de ellos. Esto permite estrechar lazos entre vecinos de diversas localidades y, en definitiva, llenar de alegría y diversión los diversos lugares de esta comarca.

Muy importantes también en estas fechas son las peñas, un término que hace referencia tanto a las personas que las componen como al local donde se juntan. Es algo que no entiende de edades, pues en Pedrosillo se organizan todos los años peñas de niños, jóvenes y mayores. También hay una gran variedad en cuanto a lugares de reunión, pues estas se hacen en casas antiguas, patios, corrales, naves, casetas... El sentimiento de pertenencia a una peña hace que se disfrute mucho más de las fiestas y se consoliden los vínculos personales, lo que se traduce en el gran ambiente que hay durante estos días del año en Pedrosillo.

PEDROSILLANOS ILUSTRES

Los hermanos Marcial y Próspero

No es fácil encontrar a alguien en Pedrosillo que no haya conocido personalmente o, al menos haya oído hablar de Marcial Antonio Fernández García. En un humilde pueblo como el nuestro es normal que prácticamente todos los vecinos se conozcan entre ellos, y siempre ha sido así. Pero, una serie de méritos que mencionaremos a continuación hace que Marcial haya sido una persona muy importante en este pueblo. Hijo de José Fernández, estanquero de Pedrosillo, y María Antonia García Franco, nace en Pedrosillo el 3 de julio de 1928, mientras que su hermano Próspero lo hacía el 25 de agosto de 1926. La familia de hermanos la completaba una mujer que fue bautizada con el nombre de su madre, Antonia, a la que pasaron a llamar más adelante, cuando se hizo mayor, Sor Antonia, pues entró en la vida monacal e ingresó en un convento de Salamanca.

Ambos crecieron en la casa que su padre había construido en 1920 en la travesía del pueblo, actual calle Santa María, justo en frente del colegio. En esa misma casa, hoy en día podemos vislumbrar un antiguo cartel bastante deteriorado por el paso del tiempo que da cuenta del negocio al que los dos hermanos se dedicaron toda su vida y en el que se lee débilmente: «Legumbres Marcial Fdez. García». Más a la derecha, hasta hace unos pocos años, había una veleta muy elegante, que desgraciadamente ya no se conserva, sobre la cual se observaba la silueta de un toro en la que se leía la palabra «Lentejas».

Próspero marchó de casa y contrajo matrimonio, mientras que Marcial permaneció soltero y vivió en la casa del padre toda su vida. En el negocio que llevaron los dos hermanos, Próspero se encargaba del trabajo agrícola, mientras que Marcial controlaba y gestionaba todo desde la oficina. Fue un gran empresario que llevó de manera muy eficiente el negocio de las legumbres y acabó poseyendo gran cantidad de tierras de Pedrosillo y alrededores. También era muy conocido en Salamanca, pues le encantaba pasear por sus calles y sentarse en las terrazas a disfrutar de un buen aperitivo. Marcial y Próspero trabajaron en el oficio agrícola hasta el final de sus vidas, y acumularon gran cantidad de dinero fruto del gran esfuerzo y esmero que pusieron en su trabajo durante tantos años.

Marcial se presentó a las primeras elecciones municipales de la democracia (abril de 1979), pero no logró ser elegido concejal. Se presentó nuevamente en las elecciones de 1991 y esta vez sí que consiguió entrar en el Ayuntamiento como concejal. Su hermano Próspero también quiso involucrarse y colaborar en la gestión municipal, aunque tan solo se presentó a las elecciones de 1983 y no logró ser elegido, aunque estuvo de secretario. Marcial falleció el 19 de marzo de 1993 y Próspero el 2 de noviembre de 2010.

Es grande el recuerdo que tienen los pedrosillanos de Marcial, pero más grande es su agradecimiento. En su testamento, otorgado ante notario el 2 de marzo de 1990, figuraba el deseo de Marcial de donar parte de su herencia a su hermana Antonia y, el resto, al pueblo de Pedrosillo el Ralo. Su última voluntad fue que esta cuantiosa suma de dinero, a la que se añaden cinco fincas rústicas, dos mitades divisas de otras dos y una casa en el casco urbano, fuera destinada a una futura residencia de ancianos en el pueblo o, en su defecto, como ayuda para el pleno desarrollo de la vida de las personas mayores de La Armuña. De esta manera, el esfuerzo de dos hombres durante toda una vida ha servido para que aumente la calidad de vida en esta zona rural y pueda asemejarse en comodidades a la de las ciudades.

Para poder gestionar esta altruista donación, el 26 de noviembre de 1999 se crea la Fundación Benéfico-Asistencial Fundación Marcial Fernández García,

Casa en la que nacieron Marcial y Próspero

con don Eulogio del Teso Martín como presidente. Los estatutos recogen los fines de esta fundación y dicen así: «La Fundación tiene por objeto favorecer la salud y el bienestar social de los habitantes de la comarca armuñesa, entendiéndose por la misma todos los municipios incluidos en la Zona Básica de Salud de Pedrosillo el Ralo, excepto los que pertenecen a la provincia de Zamora». Un ejemplo de la acción de esta fundación es la Asociación para la Promoción de la Autonomía Personal «La Rebollada» de Pedrosillo el Ralo. Esta asociación ofrece actividades deportivas, saludables, socioculturales, educativas, etc. que contribuyen a fomentar los fines anteriormente citados.

En 2016, en agradecimiento por tal generosa donación, esta asociación cultural decide colocar en el local cultural del Ayuntamiento una placa en memoria de Marcial Fernández García en la que se muestra la gratitud del pueblo de Pedrosillo a uno de sus más ilustres vecinos, quien siempre permanecerá en la memoria.

Don Abdón Segurado Ledesma

El lector se habrá dado cuenta de que este nombre ya ha aparecido en algunas ocasiones a lo largo del libro. A continuación pasaremos a hablar acerca de la vida de este humilde hombre con mayor detenimiento. Don Abdón Segurado fue párroco de Pedrosillo el Ralo durante 49 años, desde 1917 hasta su muerte en 1965. También fue párroco y director espiritual del colegio de Pedrosillo de los Aires. Fue realmente un hombre muy querido en el pueblo y de él se cuenta que tenía una curiosa forma de ser y una gran valentía, debido a su actitud desafiante durante la Guerra Civil. Francisco García González refleja algunas de las características de su personalidad:

> «Amable, simpático, pastor de almas, cercano y cariñoso en la calle y en casa, se transformaba en el púlpito, donde parecía un torrente de elocuencia desenfrenada, criticón y hasta algo faltón en sus apreciaciones, radical y extremado en sus afirmaciones, aun con razonamientos no carentes de cierta base, pero siempre expuestos con hiperbólica medida».

Don Abdón ayudó a la creación del Sindicato Católico Agrario de Pedrosillo el Ralo. En 1924 tuvo lugar en el pueblo un acto del conjunto de sindicatos católicos agrarios de La Armuña en el que tomó la palabra y dijo las siguientes palabras recogidas en el Boletín de Acción Social órgano de la Federación Católico-Agraria Salmantina: «¡Labriegos! ¡Hijos de Dios! ¡Hijos dé la gleba campesina! Señores, cristianos labriegos, al ser yo quien rompe lanzas en este acto que celebramos en Pedrosillo, en este corazón de La Armuña, de esta Armuña austera, de tierra feraz y, castiza, hija de Castilla, me congratulo de veros reunidos en este sitio a todos, como falange poderosa, como turba copiosa, demostrativa de gran fortaleza de ánimo y con el exclusivo objeto de conseguir nuestras aspiraciones, de ideales. Bienvenidos seáis a este corazón de La Armuña, que palpita de júbilo y abraza con gran efusión y dándoos el abrazo de hermanos. Hijo de labriego soy, y como vosotros, he derramado mi sudor y mi sangre tras la mancera en la tierra. Vosotros, labriegos de La Armuña, que habéis visto deprimido vuestro noble corazón y fallidas en más de una ocasión vuestras aspiraciones, porque habéis sido objeto de engaños, desconfiáis ante los desengaños que habéis sufrido, pero no temáis; ahora os prometernos vuestra regeneración. Tenéis fuerza; pues unir esas fuerzas, y esa unión será poderosa, arrolladora o eficaz para conseguir vuestros ideales. Termino, señores, diciendo que me consuela este hermoso espectáculo que contemplo; al veros agrupados en tan numerosa manifestación y pujante flor, casi pudiera decir, flor de Castilla, y en esta manifestación, en esta colectividad y actividad agrícola, veo el remedio de vuestros anhelos y aspiraciones».

Falleció el 17 de octubre de 1965 y, como pertenecía a la Hermandad de Sufragios, sus socios le organizaron una misa y rezaron tres responsos. Sus restos descansan en el cementerio de Pedrosillo junto a la iglesia en la que durante tantos años sirvió para beneficio de todos los vecinos.

Padre Fray Miguel Rodrigo

Nos trasladamos unos siglos atrás para conocer a un religioso y filósofo que nació en Pedrosillo, pero que viajó muy lejos de su tierra para difundir el mensaje que le habían encomendado transmitir. Poco sabemos de él, pero trataremos de dar algunas pinceladas acerca de su humilde e interesante vida. Nació en nuestro pueblo a mediados del siglo XVII, no se sabe exactamente el año. Ingresó en el convento de San Esteban de Salamanca y se comprometió a cumplir los votos propios de esta orden religiosa el 17 de enero de 1669. Un año después se embarcó en una misión que lo haría atravesar medio mundo. En el siglo XVI se crea la Provincia dominica del Santísimo Rosario de Filipinas, y fue en el año 1856 cuando la primera misión parte de Cádiz hacia Manila con 40 religiosos de esta orden a bordo. Fray Miguel Rodrigo, junto a otros 33 religiosos, salió de España para participar en la XXII misión, presidida por el padre Polanco, rumbo a esta provincia religiosa de Filipinas. En 1670, siendo ya subdiácono, abandona nuestro país en barco junto a sus compañeros dominicos y, tras reembarcarse el 18 de marzo de 1671 en Acapulco (México), llega el 3 de agosto de ese año a Cavite, muy cerca de la capital filipina. Allí debía recibir el presbiterado de mano del señor López Galván, pero, al haber fallecido este, no pudo recibirlo hasta 1680, cuando llegó a Manila el señor Aguilar, obispo de Cebú. Fue ministro tagalo en Zambales, vicario de Sámal en Bataan y fue elegido socio del P. Provincial Marron. Falleció en las costas de Pagasinán (al norte del país), «víctima de la obediencia», el 13 de octubre de 1686.

Anexo fotográfico

OBJETOS ROMANOS Y DE ÉPOCAS POSTERIORES ENCONTRADOS EN *EL VILLAR*

ARQUITECTURA TRADICIONAL DEL PUEBLO

LA LAGUNA

Antes de la limpieza de 2017

Después de la limpieza de 2017

DETALLES DE INTERÉS ARTÍSTICO DE LA ERMITA

189

INTERIOR DE LA IGLESIA PARROQUIAL

Retablo Mayor de Antonio González Ramiro y Antonio de Paz (1634-1640)
(en el momento de la foto la Virgen se había bajado del retablo para sacarla en procesión)

Retablos laterales de Joaquín de Churriguera (1705)

PORTADAS DE LIBROS ANTIGUOS DE PEDROSILLO

LIBRO DE LA COFRADIA Ð Nª Sª DE GARCIA.

San Andres Apostol
Patrono Titular de la
Parrochia de Pero,sillo Ralo

Yzose este Libro siendo Beneffiado de este lugar el
Señor Ldo Ð Pº de Prada Rodriguez, y Mayordomos de la
Cofradia, los Señores Phelipe Garcia, Vº dº este lugar, y Pedro Ro
driguez Vº de la Orbada, y Procuradores de ella, los Señores
Gaspar Rodriguez, y Jacinto Rodrigo Vºs de este lugar de Pero
ssillo Ralo en el ã Veinte de Marzo de mill setecientos y seis an=

BIBLIOGRAFÍA

Ariño Gil, Enrique. *Modelos de poblamiento rural en la provincia de Salamanca (España) entre la Antigüedad y la Alta Edad Media.* 2006. BIBLID [0514-7336 (2006) 59; 317-337].

Ariño Gil, Enrique y Rodríguez Hernández, José. *El poblamiento romano y visigodo en el territorio de salamanca. Datos de una prospección intensiva.* BIBLID [0514-7336 (2002) 55; 283-309].

Barbero García, Andrea y De Miguel Diego, Teresa. *Documentos para la historia del arte en la provincia de Salamanca: siglo XVI.* Salamanca, Diputación de Salamanca, 1987.

Barrios García, Ángel. *Repoblación en la zona meridional del Duero: Fases de ocupación, procedencias y distribución espacial de los grupos repobladores.* Studia historica. Historia medieval, ISSN 0213-2060, Nº 3, 1985, págs. 33-82.

Cabo Alonso, Ángel. *La Armuña y su evolución económica.* Salamanca, Estudios Geográficos, año XVI, números 58 y 59, febrero y mayo de 1955.

Casaseca Casaseca, Antonio y Nieto González, José Ramón (introducción y transcripción). *Libro de los lugares y aldeas del Obispado de Salamanca (manuscrito 1604-1629).* Salamanca, Universidad de Salamanca, 1982.

El Adelanto de Salamanca. *Salamanca pueblo a pueblo (DVD n.º 59).* Pedro Villar Producciones, Diputación de Salamanca, 2009.

García Aguado, Pilar. *Documentos para la historia del arte en la provincia de Salamanca. Primera mitad del siglo XVII.* Salamanca, Diputación de Salamanca, 1988.

García González, Francisco. *Los pueblos de La Armuña.* Salamanca, 2004.

García González, Francisco. *La Armuña: algo más que trigo y lentejas.* Salamanca, ed. Caja Duero, 2002.

González Sánchez, Javier. *Rutas por las cañadas de Salamanca. Vías pecuarias desde la capital.* Villares de La Reina (Salamanca), Globalia Ediciones Anthema, 2009.

Llorente Maldonado de Guevara, Antonio. *Toponimia salmantina.* Edición compilada, ordenada y completada por M.ª del Rosario Llorente Pinto. Salamanca, Diputación de Salamanca, 2003.

Llorente Maldonado de Guevara, Antonio. *Las comarcas históricas y actuales de la provincia de Salamanca.* Salamanca, Centro de Estudios Salmantinos, 1990.

Lombardía Trigo, Pablo. *Normas urbanísticas municipales de Pedrosillo el Ralo, documento para aprobación inicial.* Diputación de Salamanca, Programa Urbanístico 2010, Unidad de Urbanismo. Mayo 2013.

Madoz, Pascual. *Diccionario geográfico-estadístico-histórico de Salamanca (1845-1850).* Salamanca, Diputación de Salamanca, 1984.

Martínez, M. Carmen. *La emigración castellana y leonesa al Nuevo Mundo (1517-1700).* Valladolid, Junta de Castilla y León, 1993.

Mínguez, José María (coord.) y Martín, José Luis (dir.). *Historia de Salamanca. Volumen II. Edad Media.* Salamanca, Centro de Estudios Salmantinos, 1997.

Nadir Ingeniería, S. L. *Informe de Sostenibilidad Ambiental de las normas urbanísticas de Pedrosillo el Ralo (Salamanca),* 2013.

Paredes Giraldo, M.ª del Camino. *Documentos para la historia del arte en la provincia de Salamanca. Segunda mitad del siglo XVIII.* Salamanca, Diputación de Salamanca, 1993.

Portal Monge, Yolanda. *Una traza de Churriguera.* Estudios Históricos Salmantinos: homenaje al P. Benigno Hernández Montes, 1999.

Portal Monge, Yolanda y Hernández Jiménez, Margarita. *El Retablo Mayor de Pedrosillo el Ralo.* Memoria Ecclesiae, N.º 16, 2000 págs. 311-326.

Revista *Salmanticensis.* Volúmenes 8 y 9. Salamanca, Universidad Pontificia de Salamanca, 1961 y 1962.

Rodríguez G. de Ceballos, Alfonso y Casaseca Casaseca, Antonio. *El ensamblador Antonio González Ramiro.* Revista científica del CSIC *Archivo español de arte.* Volumen 53, n.º 21, 1980.

Rodríguez G. de Ceballos, Alfonso y Casaseca Casaseca, Antonio. *Antonio y Andrés de Paz y la escultura de la primera mitad del siglo XVII en Salamanca.* Boletín del Seminario de Estudios de Arte y Arqueología. Tomo 45, 1979.

Rupérez Almajano, M.ª Nieves. *Un primer retablo de Alberto de Churriguera.* Revista científica del CSIC *Archivo español de arte.* Volumen 76, nº 301.

Salinas, Manuel (coord.) y Martín, José Luis (dir.). *Historia de Salamanca. Volumen I. Prehistoria y Edad Antigua.* Salamanca, Centro de Estudios Salmantinos, 1997.

Archivos, fondos y bibliotecas

Archivo Diocesano de Salamanca.
Archivo Histórico Nacional.
Archivo Histórico Provincial de Salamanca.
Archivo Catedralicio de Salamanca.
Archivo de la Real Chancillería de Valladolid.
Biblioteca Pública de Salamanca.
Museo de Salamanca.

Recursos en Internet

Boletín Oficial del Estado.
Boletín Oficial de la Provincia de Salamanca Biblioteca Digital de Castilla y León.
Biblioteca Virtual de Prensa Histórica del Ministerio de Educación, Cultura y Deportes.
Catastro de Ensenada. Portal de Archivos Españoles (PARES). Ministerio de Educación, Cultura y Deportes.
Sistema de Información Geográfica de Datos Agrarios (SIGA). Ministerio de Agricultura y Pesca, Alimentación y Medio Ambiente.
Archivo de Planeamiento Urbanístico y Ordenación del Territorio de la Junta de Castilla y León.

Créditos de las imágenes

El número indica el orden de aparición en cada capítulo.

Previo a la introducción

2. Fragmento del mapa de la provincia de Salamanca de 1867 por el Coronel de Ingenieros D. Francisco Coello. N.º 0365 del catálogo de Fondos Cartográficos del IGN, publicado en el año 2000. Escala 1:200.000 © Instituto Geográfico Nacional.

3. Fragmento de la hoja n.º 0452 MTN50 La Vellés de 1949 © Instituto Geográfico Nacional.

4. Minuta cartográfica, planimetría nº 370303 Pedrosillo el Ralo 1902 © Instituto Geográfico Nacional.

Los orígenes del pueblo

1. Plano «Estructura general de ordenación del término municipal», Normas Urbanísticas Municipales de Pedrosillo el Ralo (mayo de 2013).

3. Fragmento del mapa cartográfico del IGN MTN25 hoja 452-4 (editado por el autor al considerar que el topónimo El Moro debe de situarse dentro del término municipal de Pedrosillo el Ralo como figura en la misma hoja del MTN50).

Fundación y primeros escritos

1. Detalle de la primera página de la ejecutoria de hidalguía a favor de Juan Fernández Bravo, vecino de Pedrosillo el Ralo (Salamanca). Recuadro negro añadido por el autor. Archivo de la Real Chancillería de Valladolid. ES.47186. ARCHV/9.3//PERGAMINOS, CAJA, 55, 8.

Pedrosillo entre los siglos XVII y XIX

1. Fragmento de la portada de la sección de respuestas correspondientes a Pedrosillo el Ralo. Imagen digitalizada de la copia compulsada completa del Catastro de la Ensenada guardada en el Archivo General de Simancas.

2. Archivo Histórico Nacional, SIGIL-TINTA, SALAMANCA, 15, N.º 242.

Historia reciente

1. Parte superior: fotografía aérea de la Fototeca Digital del Centro Nacional de Información Geográfica del Instituto Geográfico Nacional. Vuelo fotogramétrico 1945-1946 Americano Serie A. Parte inferior: fotografía aérea de Google Maps ©2017 Google.

3. Fotografía aérea de la Fototeca Digital del Centro Nacional de Información Geográfica del Instituto Geográfico Nacional. Vuelo fotogramétrico 1956-1957 Americano Serie B.

Evolución demográfica y estructural

Cuatro fotografías aéreas de la Fototeca Digital del Centro Nacional de Información Geográfica del Instituto Geográfico Nacional. Vuelos fotogramétricos, respectivamente: 1945-1946 Americano Serie A, 1956-1957 Americano Serie B, 1973-1986 Interministerial, 1980-1986 Nacional.

El pueblo

9. Plano de Pedrosillo el Ralo obtenido de Google Maps ©2017 Google, editado por el autor para resaltar algunos inmuebles en color gris oscuro.

Ermita de Nuestra Señora de Gracia

5. Fotografía cortesía de Purificación Ruiz para el artículo «Un primer retablo de Alberto de Churriguera» de la revista *Archivo español de arte*, volumen 76, n.º 301.

Vida y costumbres

1. Fotografía cortesía de Miguel Ángel Esteban Pérez.

Anexo fotográfico

Las fotografías de *Portadas de libros antiguos de Pedrosillo* han sido tomadas con la autorización del archivero de la Diócesis de Salamanca.

El resto de las fotografías del libro han sido tomadas por el autor.